하루 10분 서술형/문장제 학습지

수학 독해

C4 분수와 소수
초3~초4

씨투엠

수학독해 : 수학을 스스로 읽고 해결하다

객관식이나 간단한 단답형 문제는 자신 있는데 긴 문장이나 풀이 과정을 쓰라는 문제는 어려워하는 아이들이 있어요. 빠르고 정확하게 연산하고 교과 응용문제까지도 곧잘 풀어내지만, 문제 속 상황이 약간만 복잡해지면 문제를 풀려고도 하지 않는 아이들도 많아요. 이러한 아이들에게 부족한 것은 연산 능력이나 문제 해결력보다는 독해력과 표현력입니다. 특히 수학적 텍스트를 이해하고 표현하는 능력, 즉 수학 독해력이지요.

요즘 아이들의 독해력이 약해진 가장 큰 이유는 과거에 비해 이야기를 만나는 방식이 다양해졌기 때문이에요. 예전에는 대부분 말이나 글로써만 이야기를 접했어요. 텍스트 위주로 여러 가지 사건을 간접 체험하고, 머릿 속으로 상황을 그려내는 훈련이 자연스럽게 이루어졌지요. 반면 요즘 아이들은 글보다도 TV나 스마트폰 등 영상매체에 훨씬 빨리, 자주 노출되기에 글을 통해 상상을 할 필요가 점점 없어지게 되었습니다.

그렇다고 아이들에게 어렸을 때부터 영화나 애니메이션을 못 보게 하고 책만 읽게 하는 것은 바람직하지 않고, 가능하지도 않아요. 시각 매체는 그 자체로 많은 장점이 있기 때문에 지금의 아이들은 예전 세대에 비해 이미지에 대한 이해력과 적용력이 매우 뛰어나답니다. 문제는 아직까지 모든 학습과 평가 방식이 여전히 텍스트 위주이기 때문에 지금도 아이들에게 독해력이 중요하다는 점이에요. 그래서 저희는 영상 매체에는 익숙하지만 말이나 글에는 약한 아이들을 위한 새로운 수학 독해력 향상 프로그램인 씨투엠 수학독해를 기획하게 되었어요.

씨투엠 수학독해는 기존 문장제/서술형 교재들보다 더욱 쉽고 간단한 학습법을 보여주려 해요. 문제에 있는 문장과 표현 하나하나마다 따로 접근하여 아이들이 어려워하는 포인트를 찾고, 각 포인트마다 직관적인 활동을 통해 독해력과 표현력을 차근차근 끌어올리려고 합니다. 또한 문제 이해와 풀이 서술 과정을 단계별로 세세하게 나누어 문장제, 서술형 문제를 부담 없이 체계적으로 연습할 수 있어요. 새로운 문장제 학습법인 씨투엠 수학독해가 문장제 문제에 특히 어려움을 겪고 있거나 앞으로 서술형 문제를 좀 더 잘 대비하고 싶은 아이들에게 큰 도움이 될 것이라 자신합니다.

씨투엠

수학독해의 구성과 특징

- 매일 부담없이 2쪽씩, 하루 10분 문장제 학습
- 매주 5일간 단계별 활동, 6일차는 중요 문장제 확인학습
- 5회분의 진단평가로 테스트 및 복습

주차별 구성

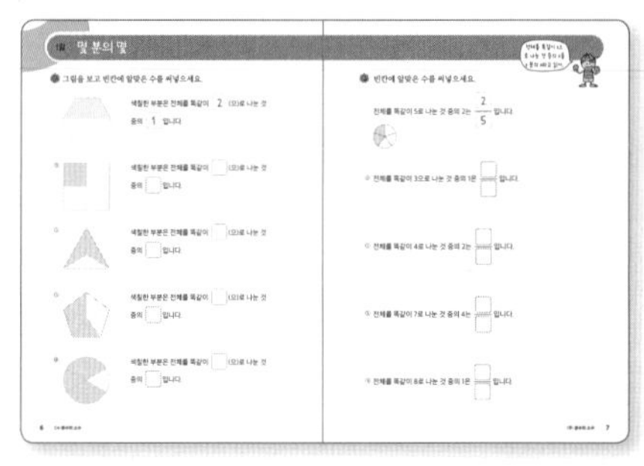

일일학습

꼬마 수학자들의
간단한 팁과 함께
매일 새롭게 만나는
단계별 문장제 활동

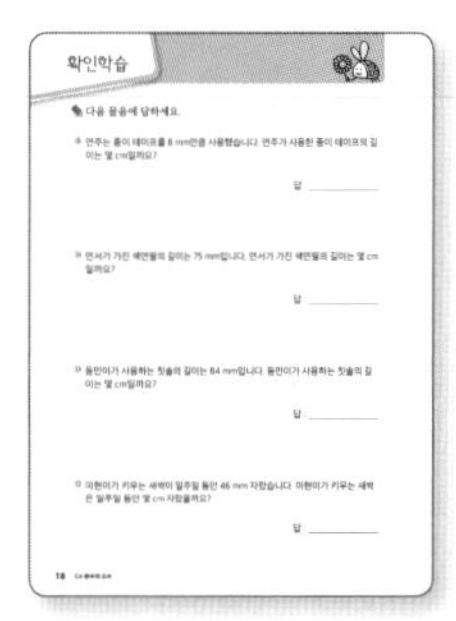

확인학습

중요 문장제 활동을
다시 한번 확인하며
주차 학습 마무리

	1일	2일	3일	4일	5일	확인학습
1주차	6쪽 ~ 7쪽	8쪽 ~ 9쪽	10쪽 ~ 11쪽	12쪽 ~ 13쪽	14쪽 ~ 15쪽	16쪽 ~ 18쪽
2주차	20쪽 ~ 21쪽	22쪽 ~ 23쪽	24쪽 ~ 25쪽	26쪽 ~ 27쪽	28쪽 ~ 29쪽	30쪽 ~ 32쪽
3주차	34쪽 ~ 35쪽	36쪽 ~ 37쪽	38쪽 ~ 39쪽	40쪽 ~ 41쪽	42쪽 ~ 43쪽	44쪽 ~ 46쪽
4주차	48쪽 ~ 49쪽	50쪽 ~ 51쪽	52쪽 ~ 53쪽	54쪽 ~ 55쪽	56쪽 ~ 57쪽	58쪽 ~ 60쪽

진단평가 구성

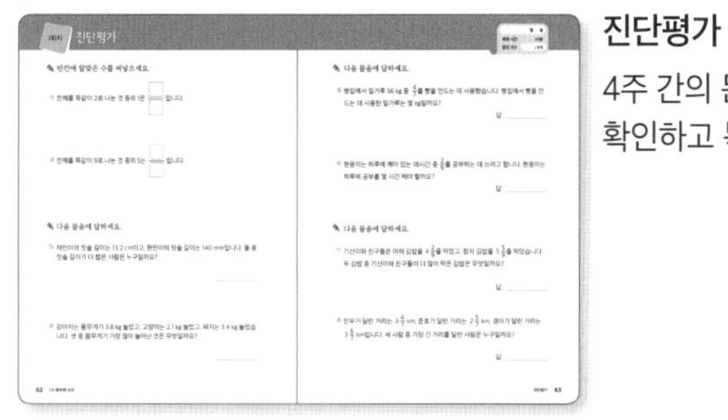

진단평가

4주 간의 문장제 학습에서 부족한 부분을
확인하고 복습하기 위한 자가 진단 테스트

	1회	2회	3회	4회	5회
진단평가	62쪽 ~ 63쪽	64쪽 ~ 65쪽	66쪽 ~ 67쪽	68쪽 ~ 69쪽	70쪽 ~ 71쪽

이 책의 차례

1주차

분수와 소수

1일 몇 분의 몇

❀ 그림을 보고 빈칸에 알맞은 수를 써넣으세요.

색칠한 부분은 전체를 똑같이 [2] (으)로 나눈 것 중의 [1] 입니다.

① 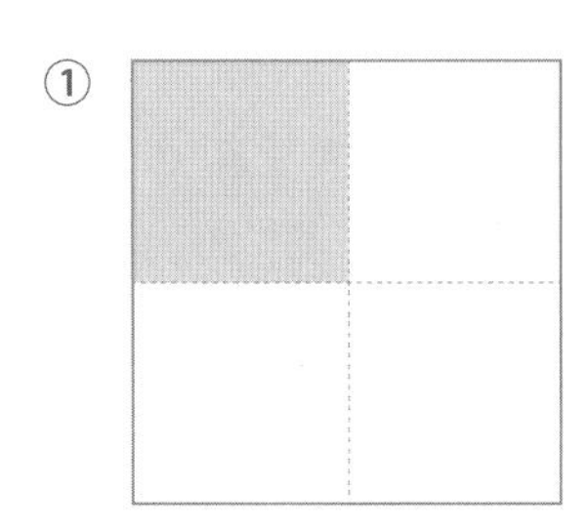

색칠한 부분은 전체를 똑같이 [ ] (으)로 나눈 것 중의 [ ] 입니다.

② 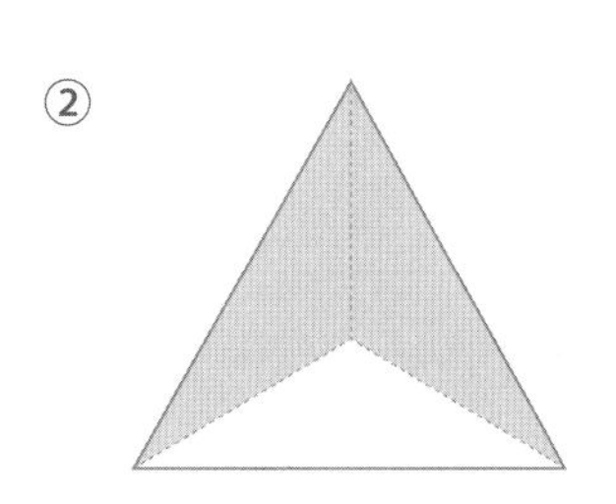

색칠한 부분은 전체를 똑같이 [ ] (으)로 나눈 것 중의 [ ] 입니다.

③ 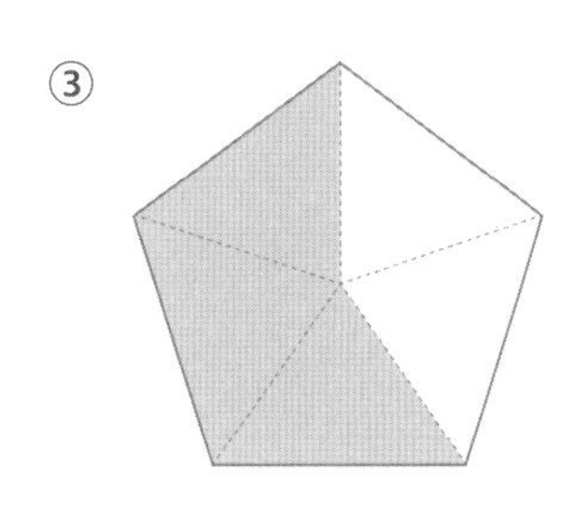

색칠한 부분은 전체를 똑같이 [ ] (으)로 나눈 것 중의 [ ] 입니다.

④ 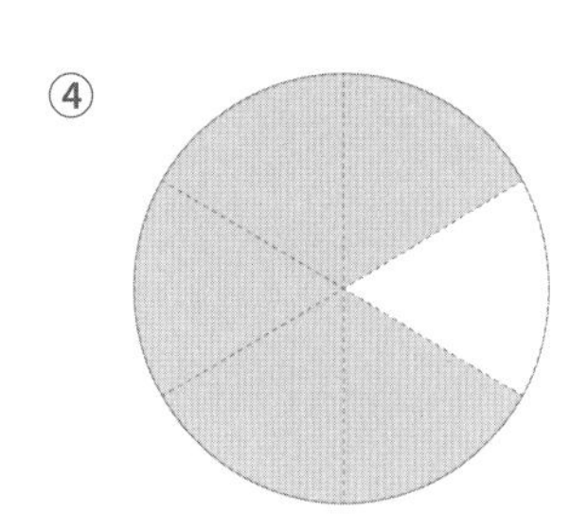

색칠한 부분은 전체를 똑같이 [ ] (으)로 나눈 것 중의 [ ] 입니다.

빈칸에 알맞은 수를 써넣으세요.

전체를 똑같이 5로 나눈 것 중의 2는 $\frac{2}{5}$ 입니다.

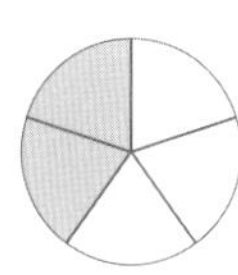

① 전체를 똑같이 3으로 나눈 것 중의 1은 $\frac{\square}{\square}$ 입니다.

② 전체를 똑같이 4로 나눈 것 중의 2는 $\frac{\square}{\square}$ 입니다.

③ 전체를 똑같이 7로 나눈 것 중의 4는 $\frac{\square}{\square}$ 입니다.

④ 전체를 똑같이 8로 나눈 것 중의 1은 $\frac{\square}{\square}$ 입니다.

2일 전체와 부분

그림을 보고 빈칸에 알맞은 분수를 써넣으세요.

색칠한 부분은 전체의 $\frac{1}{3}$, 색칠하지 않은 부분은 전체의 $\frac{2}{3}$ 입니다.

①

색칠한 부분은 전체의 ☐, 색칠하지 않은 부분은 전체의 ☐ 입니다.

②

색칠한 부분은 전체의 ☐, 색칠하지 않은 부분은 전체의 ☐ 입니다.

③

색칠한 부분은 전체의 ☐, 색칠하지 않은 부분은 전체의 ☐ 입니다.

 다음 물음에 답하세요.

피자를 똑같이 4조각으로 나누어 3조각을 먹었습니다. 먹은 부분은 전체의 몇 분의 몇일까요?

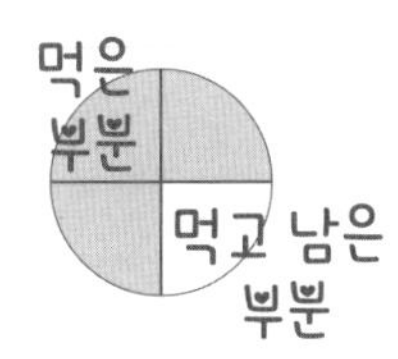

답 : $\frac{3}{4}$

① 피자를 똑같이 6조각으로 나누어 4조각을 먹었습니다. 먹고 남은 부분은 전체의 몇 분의 몇일까요?

답 : ____________

② 와플을 똑같이 5조각으로 나누어 2조각을 먹었습니다. 먹은 부분은 전체의 몇 분의 몇일까요?

답 : ____________

③ 와플을 똑같이 8조각으로 나누어 3조각을 먹었습니다. 먹고 남은 부분은 전체의 몇 분의 몇일까요?

답 : ____________

3일 분수만큼 몇 조각

주어진 지시에 맞게 분수만큼 색칠하고, 물음에 답하세요.

똑같이 4조각으로 나누어 전체의 $\frac{1}{2}$만큼 색칠하였습니다. 색칠한 부분은 몇 조각일까요?

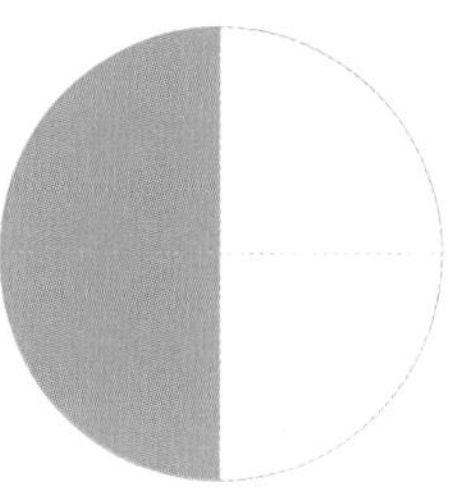

답 : 2조각

① 똑같이 6조각으로 나누어 전체의 $\frac{1}{3}$만큼 색칠하였습니다. 색칠한 부분은 몇 조각일까요?

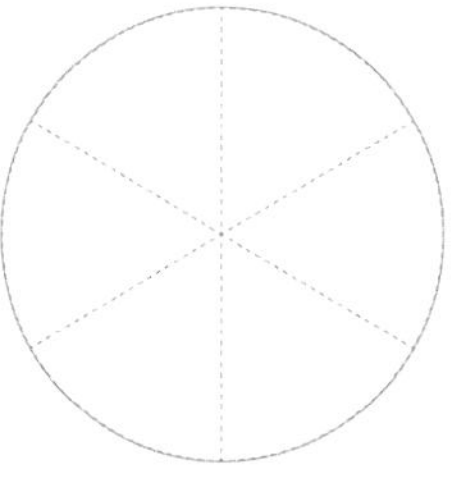

답 : ______

② 똑같이 8조각으로 나누어 전체의 $\frac{1}{2}$만큼 색칠하였습니다. 색칠한 부분은 몇 조각일까요?

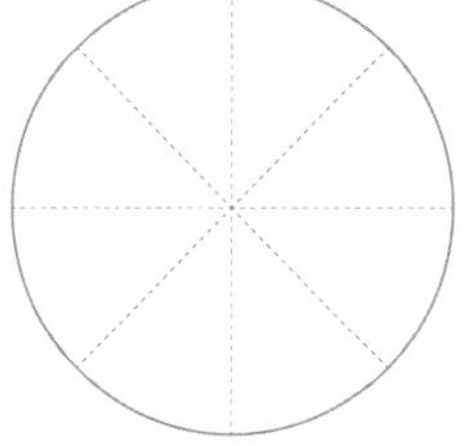

답 : ______

 다음 물음에 답하세요.

현재는 피자를 똑같이 6조각으로 나누어 $\frac{1}{2}$만큼 먹었습니다. 현재는 피자를 몇 조각 먹었을까요?

답 : 3조각

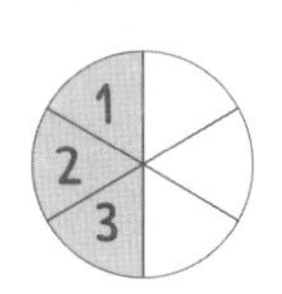

① 조이는 케이크를 똑같이 4조각으로 나누어 $\frac{1}{4}$만큼 먹었습니다. 조이는 케이크를 몇 조각 먹었을까요?

답 : ________

② 해미는 빵을 똑같이 6조각으로 나누어 $\frac{2}{3}$만큼 먹었습니다. 해미는 빵을 몇 조각 먹었을까요?

답 : ________

③ 미루는 초콜릿을 똑같이 8조각으로 나누어 $\frac{3}{4}$만큼 먹었습니다. 미루는 초콜릿을 몇 조각 먹었을까요?

답 : ________

4일 영점 몇

그림을 보고 밑줄 친 곳에 알맞은 수와 말을 써넣으세요.

0.1	0.2	0.3	0.4						

색칠한 부분은 ___0.4___ (이)라 쓰고, ___영점 사___ (이)라 읽습니다.

①

색칠한 부분은 ________ (이)라 쓰고, ________ (이)라 읽습니다.

②

색칠한 부분은 ________ (이)라 쓰고, ________ (이)라 읽습니다.

③

색칠한 부분은 ________ (이)라 쓰고, ________ (이)라 읽습니다.

④

색칠한 부분은 ________ (이)라 쓰고, ________ (이)라 읽습니다.

 다음 물음에 답하세요.

아린이는 끈 1 m를 똑같이 10조각으로 나누어 그중 3조각을 사용했습니다. 아린이가 사용한 끈의 길이는 몇 m일까요?

0.1이 3개면 0.3

답 : 0.3 m

① 주민이는 색 테이프 1 m를 똑같이 10조각으로 나누어 그중 5조각을 사용했습니다. 주민이가 사용한 색 테이프의 길이는 몇 m일까요?

답 : ______

② 주하는 물 1 L를 똑같이 10컵으로 나누어 그중 4컵을 마셨습니다. 주하가 마신 물의 양은 몇 L일까요?

답 : ______

③ 예진이는 밀가루 1 kg을 똑같이 10그릇에 나누어 담아 그중 7그릇을 사용했습니다. 예진이가 사용한 밀가루의 무게는 몇 kg일까요?

답 : ______

5일 몇점 몇

밑줄 친 곳에 알맞은 수를 써넣으세요.

3.6은 0.1이 ___36___ 개입니다.

0.1이 36개이면 3.6입니다.

① 2.8은 0.1이 ________ 개입니다.

② 4.4는 ________ 이 44개입니다.

③ 0.1이 75개이면 ________ 입니다.

④ 0.1이 ________ 개이면 5.7입니다.

⑤ 6.8은 $\frac{1}{10}$이 ________ 개입니다.

⑥ $\frac{1}{10}$이 92개이면 ________ 입니다.

❀ 다음 물음에 답하세요.

민희는 색 테이프를 4 mm만큼 사용했습니다. 민희가 사용한 색 테이프의 길이는 몇 cm일까요?

1 mm = 0.1 cm, 4 mm = 0.4 cm

답 : 0.4 cm

① 혜진이는 길이가 15 mm인 클립을 샀습니다. 혜진이가 산 클립의 길이는 몇 cm일까요?

답 : ______

② 지만이는 머리카락이 28 mm 자랐습니다. 지만이의 머리카락은 몇 cm 자랐을까요?

답 : ______

③ 파란색 크레파스의 길이는 53mm입니다. 파란색 크레파스의 길이는 몇 cm일까요?

답 : ______

확인학습

빈칸에 알맞은 분수를 써넣으세요.

① 전체를 똑같이 5로 나눈 것 중의 4는 $\frac{\square}{\square}$ 입니다.

② 전체를 똑같이 6으로 나눈 것 중의 3은 $\frac{\square}{\square}$ 입니다.

다음 물음에 답하세요.

③ 초콜릿을 똑같이 3조각으로 나누어 1조각을 먹었습니다. 먹은 부분은 전체의 몇 분의 몇일까요?

답 : ____________

④ 초콜릿을 똑같이 5조각으로 나누어 4조각을 먹었습니다. 먹고 남은 부분은 전체의 몇 분의 몇일까요?

답 : ____________

다음 물음에 답하세요.

⑤ 수리는 와플을 똑같이 5조각으로 나누어 $\frac{3}{5}$만큼 먹었습니다. 수리는 와플을 몇 조각 먹었을까요?

답 : ______________

⑥ 동하는 쿠키를 똑같이 4조각으로 나누어 $\frac{1}{2}$만큼 먹었습니다. 동하는 쿠키를 몇 조각 먹었을까요?

답 : ______________

다음 물음에 답하세요.

⑦ 가연이는 길이가 1 m인 막대를 똑같이 10도막으로 나누어 그중 8도막을 가졌습니다. 가연이가 가진 막대의 길이는 몇 m일까요?

답 : ______________

⑧ 진아는 우유 1 L를 똑같이 10컵으로 나누어 그중 2컵을 마셨습니다. 진아가 마신 우유의 양은 몇 L일까요?

답 : ______________

확인학습

다음 물음에 답하세요.

⑨ 연주는 종이 테이프를 8 mm만큼 사용했습니다. 연주가 사용한 종이 테이프의 길이는 몇 cm일까요?

답 : ______________

⑩ 연서가 가진 색연필의 길이는 75 mm입니다. 연서가 가진 색연필의 길이는 몇 cm일까요?

답 : ______________

⑪ 동민이가 사용하는 칫솔의 길이는 84 mm입니다. 동민이가 사용하는 칫솔의 길이는 몇 cm일까요?

답 : ______________

⑫ 미현이가 키우는 새싹이 일주일 동안 46 mm 자랐습니다. 미현이가 키우는 새싹은 일주일 동안 몇 cm 자랐을까요?

답 : ______________

2주차

크기 비교

1일 분모가 같은 분수 비교(1)

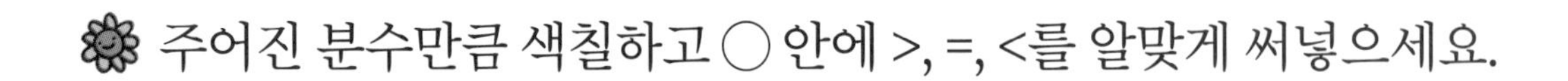

주어진 분수만큼 색칠하고 ◯ 안에 >, =, <를 알맞게 써넣으세요.

$\frac{4}{5}$

$\frac{3}{5}$

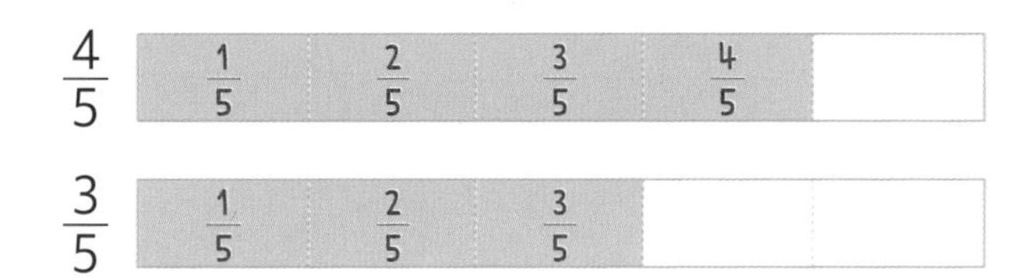

① $\frac{3}{6}$

$\frac{4}{6}$

$\frac{3}{6}$ ◯ $\frac{4}{6}$

② $\frac{2}{3}$

$\frac{1}{3}$

$\frac{2}{3}$ ◯ $\frac{1}{3}$

③ $\frac{5}{7}$

$\frac{6}{7}$

$\frac{5}{7}$ ◯ $\frac{6}{7}$

④ $\frac{2}{8}$

$\frac{3}{8}$

$\frac{2}{8}$ ◯ $\frac{3}{8}$

❀ 밑줄 친 곳에 알맞은 수나 말을 써넣으세요.

$\frac{3}{5}$은 $\frac{1}{5}$이 <u>3</u> 개, $\frac{2}{5}$는 $\frac{1}{5}$이 <u>2</u> 개이므로

$\frac{3}{5}$은 $\frac{2}{5}$보다 더 <u>큽니다</u>.

① $\frac{1}{4}$은 $\frac{1}{4}$이 ______ 개, $\frac{2}{4}$는 $\frac{1}{4}$이 ______ 개이므로

$\frac{1}{4}$은 $\frac{2}{4}$보다 더 ____________.

② $\frac{4}{5}$는 $\frac{1}{5}$이 ______ 개, $\frac{3}{5}$은 $\frac{1}{5}$이 ______ 개이므로

$\frac{4}{5}$는 $\frac{3}{5}$보다 더 ____________.

③ $\frac{2}{6}$는 $\frac{1}{6}$이 ______ 개, $\frac{4}{6}$는 $\frac{1}{6}$이 ______ 개이므로

$\frac{2}{6}$는 $\frac{4}{6}$보다 더 ____________.

④ $\frac{6}{7}$은 $\frac{1}{7}$이 ______ 개, $\frac{5}{7}$는 $\frac{1}{7}$이 ______ 개이므로

$\frac{6}{7}$은 $\frac{5}{7}$보다 더 ____________.

2일 분모가 같은 분수 비교(2)

다음 물음에 답하세요.

분모가 5인 분수 중 $\frac{1}{5}$보다 크고, $\frac{4}{5}$보다 작은 분수는 모두 몇 개일까요?

$\frac{1}{5} < \frac{2}{5} < \frac{3}{5} < \frac{4}{5}$

답 : 2개

① 분모가 7인 분수 중 $\frac{2}{7}$보다 크고, $\frac{6}{7}$보다 작은 분수는 모두 몇 개일까요?

답 :

② 분모가 9인 분수 중 $\frac{4}{9}$보다 크고, $\frac{7}{9}$보다 작은 분수는 모두 몇 개일까요?

답 :

③ 분모가 10인 분수 중 $\frac{3}{10}$보다 크고, $\frac{8}{10}$보다 작은 분수는 모두 몇 개일까요?

답 :

다음 물음에 답하세요.

분모가 8인 진분수 중 두 번째로 큰 분수는 몇 분의 몇일까요?

$\frac{6}{8} < \frac{7}{8}$

답 : $\frac{6}{8}$

① 분모가 6인 진분수 중 가장 작은 분수는 몇 분의 몇일까요?

답 : ____________

② 분모가 11인 진분수 중 두 번째로 큰 분수는 몇 분의 몇일까요?

답 : ____________

③ 분모가 12인 진분수 중 가장 큰 분수는 몇 분의 몇일까요?

답 : ____________

④ 분모가 7인 진분수 중 두 번째로 작은 분수는 몇 분의 몇일까요?

답 : ____________

3일 단위분수 비교

주어진 분수만큼 색칠하고 ◯ 안에 >, =, <를 알맞게 써넣으세요.

$\frac{1}{3}$

$\frac{1}{4}$

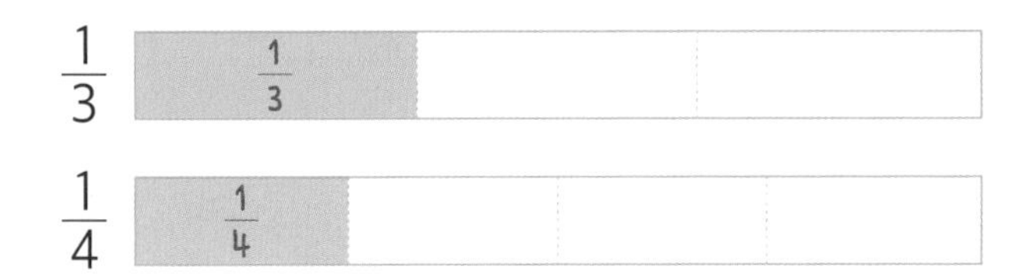

$\frac{1}{3}$ (>) $\frac{1}{4}$

① $\frac{1}{4}$, $\frac{1}{2}$

$\frac{1}{4}$ ◯ $\frac{1}{2}$

② $\frac{1}{3}$, $\frac{1}{5}$

$\frac{1}{3}$ ◯ $\frac{1}{5}$

③ $\frac{1}{7}$, $\frac{1}{6}$

$\frac{1}{7}$ ◯ $\frac{1}{6}$

④ $\frac{1}{9}$, $\frac{1}{8}$

$\frac{1}{9}$ ◯ $\frac{1}{8}$

다음 물음에 답하세요.

단위분수 중 $\frac{1}{5}$보다 크고, $\frac{1}{2}$보다 작은 분수는 모두 몇 개일까요?

$\frac{1}{5} < \frac{1}{4} < \frac{1}{3} < \frac{1}{2}$

답 : 2개

① 단위분수 중 $\frac{1}{8}$보다 크고, $\frac{1}{3}$보다 작은 분수는 모두 몇 개일까요?

답 :

② 단위분수 중 $\frac{1}{10}$보다 크고, $\frac{1}{8}$보다 작은 분수는 모두 몇 개일까요?

답 :

③ 단위분수 중 $\frac{1}{12}$보다 크고, $\frac{1}{6}$보다 작은 분수는 모두 몇 개일까요?

답 :

4일 분수의 크기 비교

다음 물음에 답하세요.

진희는 피자를 $\frac{3}{8}$판 먹었고, 현호는 나머지 피자를 먹었습니다. 더 많은 피자를 먹은 사람은 누구일까요?

답 : 현호

현호가 먹은 피자는 전체 8조각 중 5조각이므로 $\frac{5}{8}$판

① 현진이는 포장용 끈을 $\frac{5}{6}$ m 사용하였고, 수연이는 $\frac{3}{6}$ m를 사용하였습니다. 포장용 끈을 더 적게 사용한 사람은 누구일까요?

답 :

② 빨간색 테이프의 길이는 $\frac{1}{12}$ m이고, 파란색 테이프의 길이는 $\frac{1}{10}$ m입니다. 둘 중 더 긴 테이프는 무슨 색깔일까요?

답 :

③ 하윤이는 색종이 한 장 전체의 $\frac{6}{10}$을 가지고, 나머지는 정후가 가졌습니다. 둘 중 색종이를 더 적게 가진 사람은 누구일까요?

답 :

다음 물음에 답하세요.

집에서 학교까지의 거리는 $\frac{1}{2}$ km, 집에서 도서관까지의 거리는 $\frac{1}{3}$ km, 집에서 공원까지의 거리는 $\frac{1}{4}$ km입니다. 집에서 가장 먼 곳은 어디일까요?

$\frac{1}{4} < \frac{1}{3} < \frac{1}{2}$

답 : 학교

① 세 친구가 빵 하나를 나누어 먹습니다. 정호는 전체의 $\frac{2}{6}$를 먹었고, 송이는 $\frac{1}{6}$을 먹었고, 한영이는 $\frac{3}{6}$을 먹었습니다. 빵을 가장 적게 먹은 사람은 누구일까요?

답 : ______

② 도화지 한 장 전체의 $\frac{1}{5}$에 빨간색을 칠하고, $\frac{1}{9}$에 파란색을 칠하고, $\frac{1}{6}$에 초록색을 칠했습니다. 가장 좁은 면에 칠한 색깔은 무엇일까요?

답 : ______

③ 수애는 우유 $\frac{4}{10}$ L를 마셨고, 현빈이는 $\frac{8}{10}$ L를 마셨고, 기용이는 $\frac{7}{10}$ L를 마셨습니다. 우유를 가장 많이 마신 사람은 누구일까요?

답 : ______

5일 소수의 크기 비교

❀ 밑줄 친 곳에 알맞은 수를 써넣으세요.

4.7은 0.1이 ___47___ 개이고, 5.5는 0.1이 ___55___ 개이므로

4.7과 5.5 중 더 큰 소수는 ___5.5___ 입니다.

4.7 < 5.5

① 1.5는 0.1이 ________ 개이고, 1.4는 0.1이 ________ 개이므로

1.5와 1.4 중 더 큰 소수는 ________ 입니다.

② 3.3은 0.1이 ________ 개이고, 3.8은 0.1이 ________ 개이므로

3.3과 3.8 중 더 작은 소수는 ________ 입니다.

③ 2.9는 0.1이 ________ 개이고, 3.1은 0.1이 ________ 개이므로

2.9와 3.1 중 더 작은 소수는 ________ 입니다.

④ 7.2는 0.1이 ________ 개이고, 6.7은 0.1이 ________ 개이므로

7.2와 6.7 중 더 큰 소수는 ________ 입니다.

다음 물음에 답하세요.

우상이가 키운 강낭콩은 1.1 m 자랐고, 준우가 키운 강낭콩은 0.9 m 자랐습니다. 둘 중 누가 키운 강낭콩이 더 많이 자랐을까요?

1.1 > 0.9

우상

① 공원에서 도서관까지의 거리는 2.8 km, 공원에서 학교까지의 거리는 3.3 km입니다. 도서관과 학교 중 공원에서 더 가까운 곳은 어디일까요?

② 일주일 동안 우유를 현아는 4.5 L, 주혁이는 4.3 L, 두희는 4.9 L 마셨습니다. 일주일 동안 우유를 가장 많이 마신 사람은 누구일까요?

③ 딱풀의 길이는 56 mm, 지우개의 길이는 5.3 cm, 네임펜의 길이는 8.2 cm입니다. 셋 중 가장 짧은 것은 무엇일까요?

확인학습

밑줄 친 곳에 알맞은 수나 말을 써넣으세요.

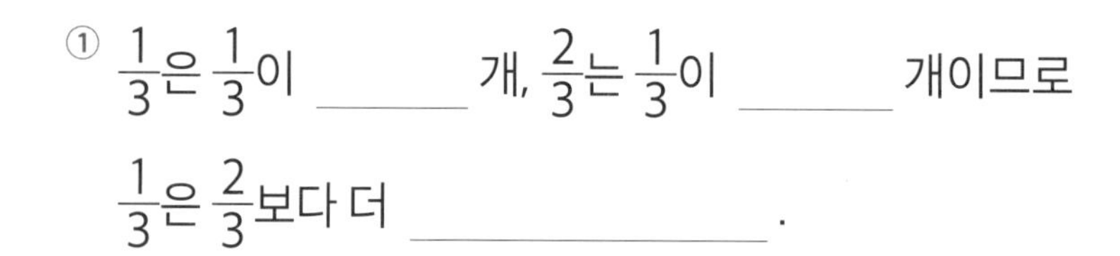

① $\frac{1}{3}$은 $\frac{1}{3}$이 ______ 개, $\frac{2}{3}$는 $\frac{1}{3}$이 ______ 개이므로

$\frac{1}{3}$은 $\frac{2}{3}$보다 더 ____________.

② $\frac{4}{8}$는 $\frac{1}{8}$이 ______ 개, $\frac{5}{8}$는 $\frac{1}{8}$이 ______ 개이므로

$\frac{4}{8}$는 $\frac{5}{8}$보다 더 ____________.

다음 물음에 답하세요.

③ 분모가 8인 분수 중 $\frac{2}{8}$보다 크고, $\frac{4}{8}$보다 작은 분수는 모두 몇 개일까요?

답 : ____________

④ 분모가 12인 분수 중 $\frac{6}{12}$보다 크고, $\frac{10}{12}$보다 작은 분수는 모두 몇 개일까요?

답 : ____________

다음 물음에 답하세요.

⑤ 단위분수 중 $\frac{1}{4}$보다 큰 분수는 모두 몇 개일까요?

답 : ______________

⑥ 단위분수 중 $\frac{1}{11}$보다 크고, $\frac{1}{7}$보다 작은 분수는 모두 몇 개일까요?

답 : ______________

다음 물음에 답하세요.

⑦ 소연이는 몸무게를 $\frac{1}{3}$ kg 줄였고, 미현이는 몸무게를 $\frac{1}{2}$ kg 줄였습니다. 둘 중 몸무게를 더 많이 줄인 사람은 누구일까요?

답 : ______________

⑧ 아린이는 우유 한 병 전체의 $\frac{3}{7}$을 마시고, 나머지는 은혜가 마셨습니다. 둘 중 우유를 더 적게 마신 사람은 누구일까요?

답 : ______________

확인학습

다음 물음에 답하세요.

⑨ 냉장고에 소고기 1.6 kg과 돼지고기 1.4 kg이 있습니다. 소고기와 돼지고기 중 냉장고에 더 많은 것은 무엇일까요?

____

⑩ 비닐 끈의 길이는 12 cm 1 mm이고, 철 끈의 길이는 10.8 cm입니다. 둘 중 더 짧은 끈은 무엇일까요?

____

⑪ 멀리뛰기를 현주는 1.3 m, 영훈이는 0.7 m, 로하는 1.1 m 뛰었습니다. 가장 멀리 뛴 사람은 누구일까요?

____

⑫ 시력 검사에서 두섭이는 0.8, 은호는 1.5, 주엽이는 1.2가 나왔습니다. 셋 중 시력이 가장 좋은 사람은 누구일까요?

____

3주차

묶음과 분수

1일 분수로 나타내기(1)

빈칸에 알맞은 수를 써넣으세요.

10을 2씩 묶으면 5 묶음이 되고, 4는 그중 2 묶음입니다.

색칠한 부분은 5 묶음 중에서 2 묶음이므로 4는 10의 $\frac{2}{5}$ 입니다.

①

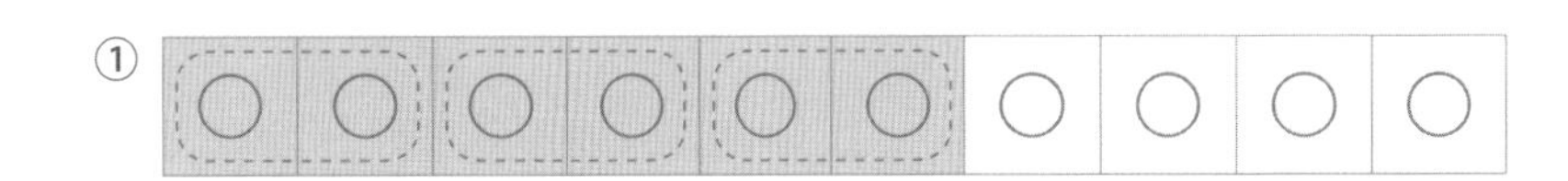

10을 2씩 묶으면 □ 묶음이 되고, 6은 그중 □ 묶음입니다.

색칠한 부분은 □ 묶음 중에서 □ 묶음이므로 6은 10의 $\frac{\square}{\square}$ 입니다.

②

12를 3씩 묶으면 □ 묶음이 되고, 9는 그중 □ 묶음입니다.

색칠한 부분은 □ 묶음 중에서 □ 묶음이므로 9는 12의 $\frac{\square}{\square}$ 입니다.

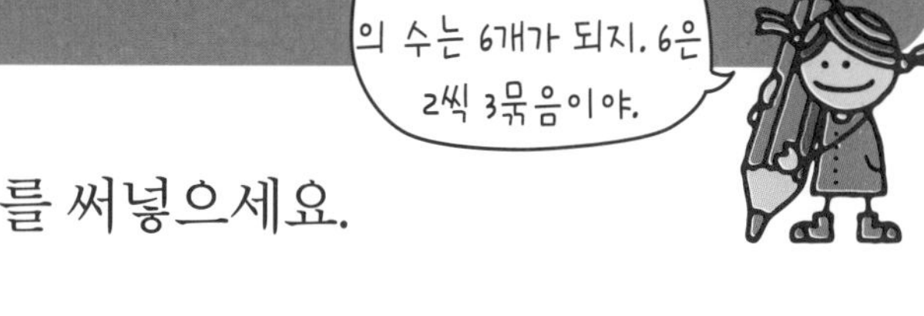
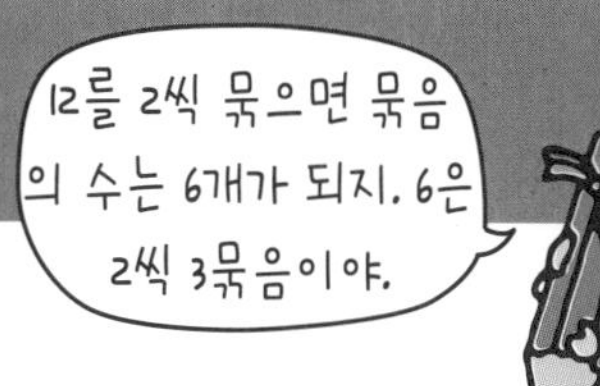

그림을 보고 빈칸에 알맞은 분수를 써넣으세요.

☆ ☆ ☆ ☆ ☆ ☆ ☆ ☆ ☆ ☆ ☆ ☆

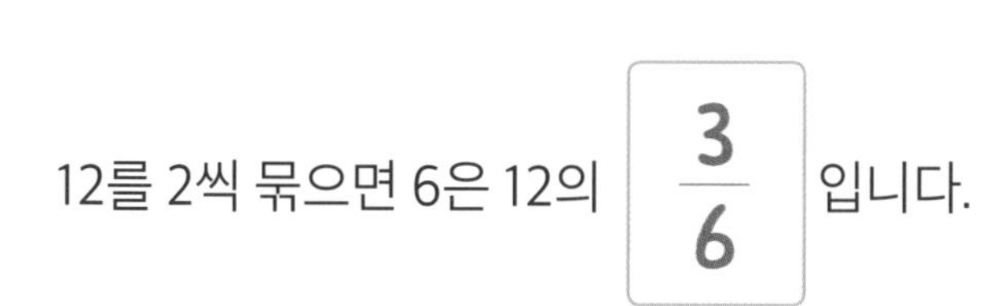

12를 2씩 묶으면 6은 12의 $\frac{3}{6}$ 입니다.

① 12를 3씩 묶으면 6은 12의 □ 입니다.

② 12를 6씩 묶으면 6은 12의 □ 입니다.

☆ ☆ ☆ ☆ ☆ ☆ ☆ ☆ ☆ ☆
☆ ☆ ☆ ☆ ☆ ☆ ☆ ☆ ☆ ☆

③ 20을 4씩 묶으면 8은 20의 □ 입니다.

④ 20을 5씩 묶으면 15는 20의 □ 입니다.

⑤ 20을 2씩 묶으면 10은 20의 □ 입니다.

2일 분수로 나타내기(2)

다음 물음에 답하세요.

바둑돌 12개 중 검은 바둑돌은 9개입니다. 바둑돌을 3개씩 묶으면 검은 바둑돌은 전체의 몇 분의 몇일까요?

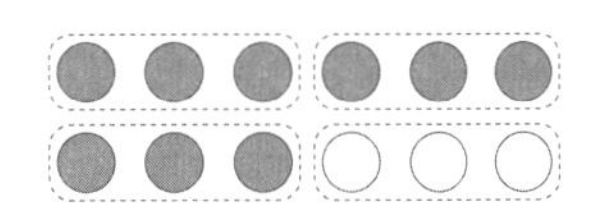

답 : $\frac{3}{4}$

① 진호는 피자를 똑같이 8조각으로 나눈 것 중 6조각을 먹었습니다. 피자를 2조각씩 묶으면 진호가 먹은 피자는 전체의 몇 분의 몇일까요?

답 : ____________

② 미연이는 사과 18개 중 9개를 가졌습니다. 사과를 3개씩 묶으면 미연이가 가진 사과는 전체의 몇 분의 몇일까요?

답 : ____________

③ 1반 학생 30명 중 20명이 안경을 썼습니다. 학생을 5명씩 묶으면 안경을 쓴 학생은 전체의 몇 분의 몇일까요?

답 : ____________

④ 가람이는 색종이 24장 중 16장을 사용했습니다. 색종이를 8장씩 묶으면 가람이가 사용한 색종이는 전체의 몇 분의 몇일까요?

답 : ____________

⑤ 연주가 만든 초콜릿 12개 중 8개를 포장했습니다. 초콜릿을 2개씩 묶으면 포장한 초콜릿은 전체의 몇 분의 몇일까요?

답 : ____________

⑥ 색연필 20자루 중 16자루가 빨간색 색연필입니다. 색연필을 4자루씩 묶으면 빨간색 색연필은 전체의 몇 분의 몇일까요?

답 : ____________

⑦ 혜진이가 체리 36개 중 21개를 먹었습니다. 체리를 3개씩 묶으면 혜진이가 먹은 체리는 전체의 몇 분의 몇일까요?

답 : ____________

3일 분수만큼(1)

그림을 보고 밑줄 친 곳에 알맞은 수를 써넣으세요.

12의 $\frac{1}{3}$은 <u>4</u> 입니다. 12를 3묶음으로 나눈 것 중의 1

① 12의 $\frac{3}{4}$은 ______ 입니다.

② 12의 $\frac{5}{6}$는 ______ 입니다.

♡ ♡ ♡ ♡ ♡ ♡ ♡ ♡ ♡
♡ ♡ ♡ ♡ ♡ ♡ ♡ ♡ ♡

③ 18의 $\frac{1}{2}$은 ______ 입니다.

④ 18의 $\frac{4}{6}$는 ______ 입니다.

⑤ 18의 $\frac{2}{9}$는 ______ 입니다.

다음 물음에 답하세요.

시은이네 반 학생 32명 중 $\frac{5}{8}$가 남학생입니다. 시은이네 반 남학생은 몇 명일까요?

32명을 8묶음으로 나누면 1묶음에 32÷8=4(명),
5묶음은 4×5=20(명)

답 : 20명

① 수리는 조각 케이크 16조각 중 $\frac{3}{4}$을 먹었습니다. 수리가 먹은 조각 케이크는 몇 조각일까요?

답 :

② 연주는 색종이 40장 중 $\frac{2}{5}$를 사용했습니다. 연주가 사용한 색종이는 몇 장일까요?

답 :

③ 책장에 있는 책 28권 중 $\frac{5}{7}$는 동화책입니다. 책장에 있는 동화책은 몇 권일까요?

답 :

4일 분수만큼(2)

그림을 보고 밑줄 친 곳에 알맞은 수를 써넣으세요.

1 2 3 4 5 6 7 8 9

10 cm의 $\frac{1}{2}$은 ___5___ cm입니다. 10 cm를 2부분으로 나눈 것 중의 1

① 10 cm의 $\frac{2}{5}$는 ______ cm입니다.

② 10 cm의 $\frac{4}{5}$는 ______ cm입니다.

1 2 3 4 5 6 7 8 9 10 11

③ 12 cm의 $\frac{1}{3}$은 ______ cm입니다.

④ 12 cm의 $\frac{3}{4}$은 ______ cm입니다.

⑤ 12 cm의 $\frac{5}{6}$는 ______ cm입니다.

 다음 물음에 답하세요.

영주는 길이가 30 cm인 색 테이프의 $\frac{2}{6}$를 사용했습니다. 영주가 사용한 색 테이프는 몇 cm일까요?

30 cm를 6도막으로 나누면 1도막에 30÷6=5(cm),
2도막은 5×2=10(cm)

답 : 10 cm

① 봄이네 가족은 할머니네 집까지 가는 거리 18 km 중 자동차로 $\frac{2}{3}$를 갔습니다. 봄이네 가족이 자동차로 간 거리는 몇 km일까요?

답 :

② 지현이는 하루 24시간의 $\frac{3}{8}$을 잠을 자는 데 씁니다. 지현이가 하루에 잠을 자는 시간은 몇 시간일까요?

답 :

③ 곰지네 가족은 약수터에서 받아온 물 45 L 중 $\frac{7}{9}$을 마셨습니다. 곰지네 가족이 마신 물은 몇 L일까요?

답 :

분수만큼(3)

다음 물음에 답하세요.

꽃집에 있는 꽃 36송이 중 $\frac{4}{9}$는 장미, $\frac{1}{4}$은 튤립입니다. 장미와 튤립은 모두 몇 송이일까요?

장미 : 36÷9=4, 4×4=16(송이)
튤립 : 36÷4=9, 9×1=9(송이)
(장미)+(튤립)=16+9=25(송이)

답 : 25송이

① 선호는 포장용 끈 42 cm 중 어제 $\frac{1}{6}$을 사용했고, 오늘 $\frac{2}{7}$를 사용했습니다. 선호가 이틀 동안 사용한 포장용 끈은 몇 cm일까요?

답 :

② 색종이 27장 중 $\frac{1}{3}$은 빨간색, $\frac{5}{9}$ 는 파란색입니다. 빨간색과 파란색 색종이는 모두 몇 장일까요?

답 :

③ 현우는 동화책 72쪽 중 어제 $\frac{3}{8}$을 읽었고, 오늘 $\frac{1}{6}$을 읽었습니다. 어제와 오늘 읽은 동화책은 몇 쪽일까요?

답 :

❀ 다음 물음에 답하세요.

스티커 18장 중 상현이가 $\frac{1}{2}$을 가졌고, 경선이가 $\frac{4}{9}$를 가졌습니다. 스티커를 누가 몇 장 더 많이 가졌을까요?

답 : 상현, 1장

① 연지네 가족은 냉장고에 있는 물 30 L 중 어제 $\frac{1}{5}$을 마셨고, 오늘 $\frac{1}{3}$을 마셨습니다. 어제와 오늘 중 물을 더 많이 마신 날은 언제이고, 몇 L 더 많이 마셨을까요?

답 : __________, __________

② 집에서 공원까지의 거리 20 km 중 $\frac{3}{4}$은 자전거를 타고 갔고, 나머지는 걸어갔습니다. 자전거로 간 거리와 걸어간 거리 중 어느 것이 몇 km 더 길까요?

답 : __________, __________

③ 과일 35개 중 $\frac{2}{5}$는 사과이고, $\frac{2}{7}$는 복숭아입니다. 사과와 복숭아 중 어느 것이 몇 개 더 많을까요?

답 : __________, __________

확인학습

빈칸에 알맞은 분수를 써넣으세요.

① 24를 2씩 묶으면 18은 24의 ☐ 입니다.

② 24를 3씩 묶으면 18은 24의 ☐ 입니다.

③ 24를 6씩 묶으면 18은 24의 ☐ 입니다.

다음 물음에 답하세요.

④ 마음이는 사탕 15개 중 9개를 먹었습니다. 사탕을 3개씩 묶으면 마음이가 먹은 사탕은 전체의 몇 분의 몇일까요?

답 : ______________

⑤ 와플을 똑같이 12조각으로 나눈 것 중 6조각이 남았습니다. 와플을 6조각씩 묶으면 남은 와플은 전체의 몇 분의 몇일까요?

답 : ______________

다음 물음에 답하세요.

⑥ 바둑돌 24개 중 $\frac{7}{8}$은 흰 바둑돌입니다. 흰 바둑돌은 몇 개일까요?

답 : ______________

⑦ 민진이는 자신이 삶은 달걀 18개 중 $\frac{5}{6}$를 먹었습니다. 민진이가 먹은 달걀은 몇 개일까요?

답 : ______________

다음 물음에 답하세요.

⑧ 오준이와 친구들은 냉장고에 있던 우유 15 L 중 $\frac{4}{5}$를 마셨습니다. 오준이와 친구들이 마신 우유는 몇 L일까요?

답 : ______________

⑨ 수란이는 철사 28 cm 중 얼마를 사용하고 $\frac{1}{4}$을 남겼습니다. 수란이가 남긴 철사는 몇 cm일까요?

답 : ______________

확인학습

다음 물음에 답하세요.

⑩ 지호는 하루 24시간 중 $\frac{1}{4}$은 잠을 자는 데 쓰고, $\frac{1}{8}$은 밥을 먹는 데 씁니다. 지호가 하루에 잠을 자거나 밥을 먹는 데 쓰는 시간은 몇 시간일까요?

답 : ______________

⑪ 초콜릿 45개 중 $\frac{2}{5}$는 민재가 먹었고, $\frac{4}{9}$는 효린이가 먹었습니다. 민재와 효린이가 먹은 초콜릿은 몇 개일까요?

답 : ______________

⑫ 냉장고에 있는 고기 16 kg 중 $\frac{1}{4}$은 돼지고기이고, $\frac{3}{8}$은 소고기입니다. 돼지고기와 소고기 중 어느 고기가 몇 kg 더 많을까요?

답 : ______________ , ______________

⑬ 화선이네 반 학생 28명 중 $\frac{4}{7}$는 여학생입니다. 화선이네 반의 여학생과 남학생 중 더 많은 것은 누구이고, 몇 명 더 많을까요?

답 : ______________ , ______________

4주차

여러 가지 분수

1일 진분수와 가분수

조건에 맞는 분수를 찾아 ○표 하세요.

분모와 분자의 합이 9인 가분수입니다.

$\frac{1}{7}$ $\frac{4}{5}$ $\frac{6}{5}$ $\frac{7}{2}$ (○)

분모와 분자의 합이 9인 분수 중 분자가 분모와 같거나 더 큰 분수

① 분모와 분자의 합이 12인 진분수입니다.

$\frac{2}{9}$ $\frac{4}{7}$ $\frac{9}{3}$ $\frac{4}{8}$

② 분모와 분자의 합이 11인 가분수입니다.

$\frac{6}{5}$ $\frac{9}{3}$ $\frac{1}{10}$ $\frac{6}{4}$

③ 분모와 분자의 합이 15인 가분수입니다.

$\frac{3}{13}$ $\frac{8}{7}$ $\frac{6}{9}$ $\frac{4}{11}$

④ 분모와 분자의 합이 18인 진분수입니다.

$\frac{9}{9}$ $\frac{13}{5}$ $\frac{7}{11}$ $\frac{9}{8}$

다음 물음에 답하세요.

분모가 4인 분수 중 $\frac{7}{4}$보다 작은 가분수는 모두 몇 개일까요?

$\frac{4}{4} < \frac{5}{4} < \frac{6}{4} < \frac{7}{4}$

답 : 3개

① 분모가 9인 분수 중 $\frac{4}{9}$보다 큰 진분수는 모두 몇 개일까요?

답 : ____________

② 분모가 6인 분수 중 $\frac{4}{6}$보다 크고, $\frac{11}{6}$보다 작은 가분수는 모두 몇 개일까요?

답 : ____________

③ 분모가 12인 분수 중 $\frac{5}{12}$보다 크고, $\frac{15}{12}$보다 작은 진분수는 모두 몇 개일까요?

답 : ____________

2일 가분수와 대분수

빈칸에 알맞은 수를 써넣으세요.

가분수 $\frac{7}{4}$을 대분수로 나타내면 $1\frac{3}{4}$입니다.

$7 \div 4 = 1 \cdots 3$

① 가분수 $\frac{8}{3}$을 대분수로 나타내면 $\square\frac{\square}{\square}$입니다.

② 가분수 $\frac{16}{5}$을 대분수로 나타내면 $\square\frac{\square}{\square}$입니다.

③ 대분수 $2\frac{5}{6}$를 가분수로 나타내면 $\frac{\square}{\square}$입니다.

④ 대분수 $4\frac{1}{2}$을 가분수로 나타내면 $\frac{\square}{\square}$입니다.

다음 물음에 답하세요.

집에서 공원까지의 거리는 $\frac{12}{5}$ km입니다. 집에서 공원까지의 거리를 대분수로 나타내면 몇 km일까요?

$12 \div 5 = 2 \cdots 2$

답 : $2\frac{2}{5}$ km

① 예진이는 사과를 $\frac{7}{2}$개 먹었습니다. 예진이가 먹은 사과의 수를 대분수로 나타내면 몇 개일까요?

답 : ____________

② 미선이는 몸무게를 $\frac{11}{4}$ kg 줄였습니다. 미선이가 줄인 몸무게를 대분수로 나타내면 몇 kg일까요?

답 : ____________

③ 영화 상영 시간은 $\frac{10}{6}$시간입니다. 영화 상영 시간을 대분수로 나타내면 몇 시간일까요?

답 : ____________

3일 대분수의 크기 비교

두 분수의 크기를 비교하고 빈칸에 알맞은 분수를 써넣으세요.

$3\frac{3}{4}$ (<) $4\frac{1}{4}$ 자연수 부분의 크기를 비교하면 3 < 4

$3\frac{3}{4}$과 $4\frac{1}{4}$ 중 더 큰 분수는 $4\frac{1}{4}$ 입니다.

① $2\frac{3}{6}$ ( ) $1\frac{5}{6}$

$2\frac{3}{6}$과 $1\frac{5}{6}$ 중 더 작은 분수는 [ ] 입니다.

② $5\frac{2}{3}$ ( ) $5\frac{1}{3}$

$5\frac{2}{3}$와 $5\frac{1}{3}$ 중 더 작은 분수는 [ ] 입니다.

③ $4\frac{3}{8}$ ( ) $4\frac{5}{8}$

$4\frac{3}{8}$과 $4\frac{5}{8}$ 중 더 큰 분수는 [ ] 입니다.

다음 물음에 답하세요.

상호가 주운 도토리는 $3\frac{1}{5}$ kg, 유림이가 주운 도토리는 $3\frac{3}{5}$ kg입니다. 두 사람 중 도토리를 더 많이 주운 사람은 누구일까요?

$3 = 3 \quad \frac{1}{5} < \frac{3}{5}$

답 : 유림

① 산책을 동민이는 $1\frac{4}{6}$시간, 명중이는 $2\frac{3}{6}$시간 했습니다. 두 사람 중 산책을 더 길게 한 사람은 누구일까요?

답 :

② 학교에서 학원까지의 거리는 $3\frac{2}{4}$ km, 학교에서 서점까지의 거리는 $3\frac{3}{4}$ km입니다. 학원과 서점 중 학교에서 더 가까운 곳은 어디일까요?

답 :

③ 1년 동안 키가 사랑이는 $5\frac{5}{8}$ cm, 우정이는 $6\frac{3}{8}$ cm, 믿음이는 $5\frac{7}{8}$ cm 컸습니다. 세 사람 중 1년 동안 키가 가장 적게 자란 사람은 누구일까요?

답 :

4일 가분수와 대분수의 크기 비교

두 분수의 크기를 비교하고 빈칸에 알맞은 분수를 써넣으세요.

$2\frac{2}{6}$ (>) $\frac{13}{6}$ $2\frac{2}{6} = \frac{14}{6} > \frac{13}{6}$

$2\frac{2}{6}$와 $\frac{13}{6}$ 중 더 큰 분수는 [$2\frac{2}{6}$] 입니다.

① $2\frac{1}{3}$ ( ) $\frac{5}{3}$

$2\frac{1}{3}$과 $\frac{5}{3}$ 중 더 작은 분수는 [ ] 입니다.

② $\frac{22}{5}$ ( ) $4\frac{4}{5}$

$\frac{22}{5}$와 $4\frac{4}{5}$ 중 더 작은 분수는 [ ] 입니다.

③ $\frac{16}{7}$ ( ) $2\frac{4}{7}$

$\frac{16}{7}$과 $2\frac{4}{7}$ 중 더 큰 분수는 [ ] 입니다.

다음 물음에 답하세요.

낮잠을 우진이는 $2\frac{3}{4}$ 시간 잤고, 세람이는 $\frac{13}{4}$ 시간 잤습니다. 두 사람 중 낮잠을 더 짧게 잔 사람은 누구일까요?

$2\frac{3}{4} = \frac{11}{4} < \frac{13}{4}$

답 : 우진

① 귤을 민석이는 $\frac{11}{2}$ 개, 지홍이는 $4\frac{1}{2}$ 개 먹었습니다. 두 사람 중 귤을 더 많이 먹은 사람은 누구일까요?

답 : ______________

② 밤을 진만이는 $5\frac{4}{6}$ kg 땄고, 기철이는 $\frac{37}{6}$ kg 땄습니다. 두 사람 중 밤을 더 많이 딴 사람은 누구일까요?

답 : ______________

③ 25 m 트랙을 달리는 데 하윤이는 $6\frac{3}{5}$ 초, 중현이는 $\frac{36}{5}$ 초, 상은이는 $6\frac{1}{5}$ 초 걸렸습니다. 세 사람 중 25 m 트랙을 가장 빠르게 달린 사람은 누구일까요?

답 : ______________

5일 분수 만들기

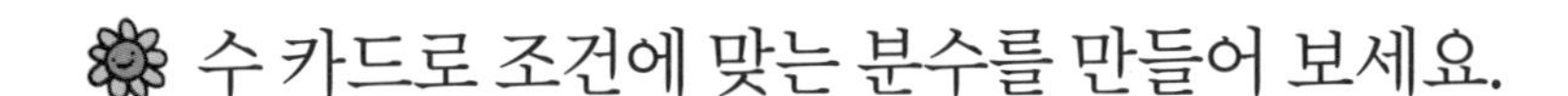

주어진 수 카드 3장 중 2장을 한 번씩만 사용하여 만들 수 있는 가장 작은 진분수를 구하세요.

답 : 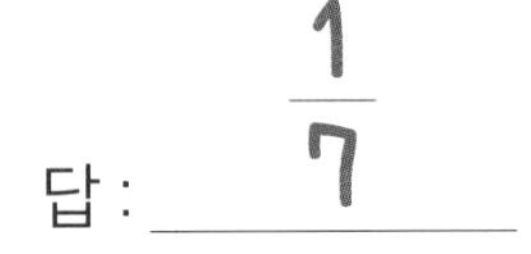

① 주어진 수 카드 3장 중 2장을 한 번씩만 사용하여 만들 수 있는 가장 작은 진분수를 구하세요.

3 8 6

답 : ____________

② 주어진 수 카드 4장 중 2장을 한 번씩만 사용하여 만들 수 있는 가장 작은 진분수를 구하세요.

6  4 7

답 : ____________

③ 주어진 수 카드 4장 중 2장을 한 번씩만 사용하여 만들 수 있는 가장 작은 진분수를 구하세요.

9  8 2

답 : ____________

큰 분수를 만들려면
분자는 크게, 분모는
작게 만들어야 해.

❀ 수 카드로 조건에 맞는 분수를 만들어 보세요.

주어진 수 카드 3장 중 2장을 한 번씩만 사용하여 만들 수 있는 가장 큰 가분수를 대분수로 나타내세요.

답 : $3\frac{1}{2}$

① 주어진 수 카드 3장 중 2장을 한 번씩만 사용하여 만들 수 있는 가장 큰 가분수를 대분수로 나타내세요.

답 : ____________

② 주어진 수 카드 4장 중 2장을 한 번씩만 사용하여 만들 수 있는 가장 큰 가분수를 대분수로 나타내세요.

답 : ____________

③ 주어진 수 카드 4장 중 2장을 한 번씩만 사용하여 만들 수 있는 가장 큰 가분수를 대분수로 나타내세요.

8

6

답 : ____________

확인학습

다음 물음에 답하세요.

① 분모가 7인 분수 중 $\frac{3}{7}$보다 큰 진분수는 모두 몇 개일까요?

답 : ______

② 분모가 11인 분수 중 $\frac{4}{11}$보다 크고, $\frac{15}{11}$보다 작은 가분수는 모두 몇 개일까요?

답 : ______

다음 물음에 답하세요.

③ 두리네 가족은 피자를 $\frac{15}{8}$판 먹었습니다. 두리네 가족이 먹은 피자의 양을 대분수로 나타내면 몇 판일까요?

답 : ______

④ 정우는 색 테이프를 $\frac{38}{5}$ cm 사용했습니다. 정우가 사용한 색 테이프의 길이를 대분수로 나타내면 몇 cm일까요?

답 : ______

다음 물음에 답하세요.

⑤ 철사를 현지는 $7\frac{2}{5}$ cm 사용했고, 예은이는 $6\frac{4}{5}$ cm 사용했습니다. 두 사람 중 철사를 더 적게 사용한 사람은 누구일까요?

답 : ______________

⑥ 수조에 물을 연우는 $2\frac{2}{4}$ L, 공유는 $2\frac{3}{4}$ L, 도준이는 $3\frac{1}{4}$ L 받았습니다. 세 사람 중 수조에 물을 가장 많이 받은 사람은 누구일까요?

답 : ______________

다음 물음에 답하세요.

⑦ 와플을 주완이는 $2\frac{5}{6}$개 먹었고, 소윤이는 $\frac{15}{6}$개 먹었습니다. 두 사람 중 와플을 더 많이 먹은 사람은 누구일까요?

답 : ______________

⑧ 일 년 동안 몸무게가 누리는 $3\frac{2}{7}$ kg, 두희는 $\frac{25}{7}$ kg, 루이는 $3\frac{5}{7}$ kg 늘었습니다. 세 사람 중 몸무게가 가장 적게 늘어난 사람은 누구일까요?

답 : ______________

확인학습

✎ 수 카드로 조건에 맞는 분수를 만들어 보세요.

⑨ 주어진 수 카드 3장 중 2장을 한 번씩만 사용하여 만들 수 있는 가장 큰 가분수를 대분수로 나타내세요.

⑩ 주어진 수 카드 3장 중 2장을 한 번씩만 사용하여 만들 수 있는 가장 큰 가분수를 대분수로 나타내세요.

⑪ 주어진 수 카드 4장 중 2장을 한 번씩만 사용하여 만들 수 있는 가장 큰 가분수를 대분수로 나타내세요.

⑫ 주어진 수 카드 4장 중 2장을 한 번씩만 사용하여 만들 수 있는 가장 큰 가분수를 대분수로 나타내세요.

진단평가

진단평가에는 앞에서 학습한 4주차의 문장제 활동이 순서대로 나옵니다. 잘못 푼 문제가 있으면 몇 주차인지 확인하여 반드시 한 번 더 복습해 봅니다.

1주차	3주차
2주차	4주차

1회차 진단평가

빈칸에 알맞은 수를 써넣으세요.

① 전체를 똑같이 2로 나눈 것 중의 1은 $\frac{\square}{\square}$ 입니다.

② 전체를 똑같이 9로 나눈 것 중의 5는 $\frac{\square}{\square}$ 입니다.

다음 물음에 답하세요.

③ 재민이의 칫솔 길이는 13.2 cm이고, 현민이의 칫솔 길이는 140 mm입니다. 둘 중 칫솔 길이가 더 짧은 사람은 누구일까요?

____

④ 강아지는 몸무게가 3.8 kg 늘었고, 고양이는 2.1 kg 늘었고, 돼지는 3.4 kg 늘었습니다. 셋 중 몸무게가 가장 많이 늘어난 것은 무엇일까요?

____

월 일	
제한 시간	10분
맞은 개수	/ 8개

다음 물음에 답하세요.

⑤ 빵집에서 밀가루 56 kg 중 $\frac{4}{7}$를 빵을 만드는 데 사용했습니다. 빵집에서 빵을 만드는 데 사용한 밀가루는 몇 kg일까요?

답 : ____________

⑥ 현웅이는 하루에 깨어 있는 18시간 중 $\frac{2}{9}$를 공부하는 데 쓰려고 합니다. 현웅이는 하루에 공부를 몇 시간 해야 할까요?

답 : ____________

다음 물음에 답하세요.

⑦ 기선이와 친구들은 야채 김밥을 $4\frac{2}{9}$줄 먹었고, 참치 김밥을 $5\frac{5}{9}$줄 먹었습니다. 두 김밥 중 기선이와 친구들이 더 많이 먹은 김밥은 무엇일까요?

답 : ____________

⑧ 민우가 달린 거리는 $3\frac{4}{7}$ km, 준호가 달린 거리는 $2\frac{5}{7}$ km, 경아가 달린 거리는 $3\frac{6}{7}$ km입니다. 세 사람 중 가장 긴 거리를 달린 사람은 누구일까요?

답 : ____________

2회차

진단평가

다음 물음에 답하세요.

① 케이크를 똑같이 4조각으로 나누어 2조각을 먹었습니다. 먹은 부분은 전체의 몇 분의 몇일까요?

답 : ________

② 케이크를 똑같이 8조각으로 나누어 6조각을 먹었습니다. 먹고 남은 부분은 전체의 몇 분의 몇일까요?

답 : ________

밑줄 친 곳에 알맞은 수나 말을 써넣으세요.

③ $\frac{3}{4}$은 $\frac{1}{4}$이 ______ 개, $\frac{2}{4}$는 $\frac{1}{4}$이 ______ 개이므로

$\frac{3}{4}$은 $\frac{2}{4}$보다 더 ____________.

④ $\frac{7}{9}$은 $\frac{1}{9}$이 ______ 개, $\frac{5}{9}$는 $\frac{1}{9}$이 ______ 개이므로

$\frac{7}{9}$은 $\frac{5}{9}$보다 더 ____________.

다음 물음에 답하세요.

⑤ 식당에서 감자 40 kg 중 어제 $\frac{2}{5}$를 썼고, 오늘 $\frac{3}{8}$을 썼습니다.이틀 동안 식당에서 쓴 감자는 몇 kg일까요?

답 : ________

⑥ 수 카드 60장 중 $\frac{2}{5}$는 홀수 카드이고, 나머지는 짝수 카드입니다. 홀수 카드와 짝수 카드 중 어느 것이 몇 장 더 많을까요?

답 : ________, ________

다음 물음에 답하세요.

⑦ 10분 동안 빨간색 양초는 $\frac{22}{5}$ cm 줄었고, 파란색 양초는 $4\frac{4}{5}$ cm 줄었습니다. 두 양초 중 더 많이 줄어든 양초는 무슨 색깔일까요?

답 : ________

⑧ 피자 파티에서 고구마 피자를 $\frac{18}{8}$판, 한우 피자를 $3\frac{1}{8}$판, 토마토 피자를 $\frac{21}{8}$판 먹었습니다. 피자 파티에서 가장 적게 먹은 피자는 무슨 피자일까요?

답 : ________

진단평가

✎ 알맞은 식을 쓰고 답을 구하세요.

① 세람이는 피자를 똑같이 8조각으로 나누어 $\frac{1}{2}$만큼 먹었습니다. 세람이는 피자를 몇 조각 먹었을까요?

답 : ______________

② 오현이는 케이크를 똑같이 6조각으로 나누어 $\frac{1}{3}$만큼 먹었습니다. 오현이는 케이크를 몇 조각 먹었을까요?

답 : ______________

✎ 다음 물음에 답하세요.

③ 분모가 10인 진분수 중 두 번째로 작은 분수는 몇 분의 몇일까요?

답 : ______________

④ 분모가 5인 진분수 중 두 번째로 큰 분수는 몇 분의 몇일까요?

답 : ______________

알맞은 식을 쓰고 답을 구하세요.

⑤ 18을 2씩 묶으면 8은 18의 □ 입니다.

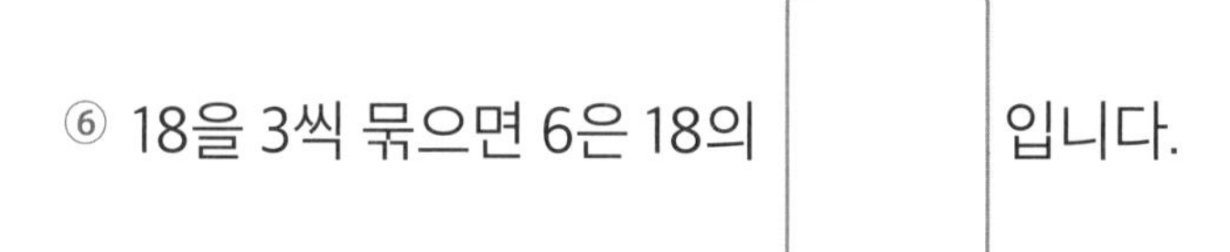
⑥ 18을 3씩 묶으면 6은 18의 □ 입니다.

⑦ 18을 6씩 묶으면 12는 18의 □ 입니다.

수 카드로 조건에 맞는 분수를 만들어 보세요.

⑧ 주어진 수 카드 3장 중 2장을 한 번씩만 사용하여 만들 수 있는 가장 작은 진분수를 구하세요.

6 5 9

답 : ____________

⑨ 주어진 수 카드 4장 중 2장을 한 번씩만 사용하여 만들 수 있는 가장 작은 진분수를 구하세요.

진단평가

다음 물음에 답하세요.

① 희제는 끈 1 m를 똑같이 10조각으로 나누어 그중 6조각을 사용했습니다. 희제가 사용한 끈의 길이는 몇 m일까요?

답 : ______________

② 종화는 소금 1 kg을 똑같이 10컵에 나누어 담아 그중 5컵을 통에 넣었습니다. 종화가 통에 넣은 소금의 무게는 몇 kg일까요?

답 : ______________

다음 물음에 답하세요.

③ 단위분수 중 $\frac{1}{12}$보다 크고, $\frac{1}{9}$보다 작은 분수는 모두 몇 개일까요?

답 : ______________

④ 단위분수 중 $\frac{1}{9}$보다 크고, $\frac{1}{2}$보다 작은 분수는 모두 몇 개일까요?

답 : ______________

월 일
제한 시간 10분
맞은 개수 / 8개

다음 물음에 답하세요.

⑤ 저금통에 들어 있는 동전 20개 중 10개는 백원짜리 동전입니다. 동전을 2개씩 묶으면 백원짜리 동전은 전체의 몇 분의 몇일까요?

답 : ________

⑥ 도토리 42개 중 레이가 딴 것은 18개입니다. 도토리를 6개씩 묶으면 레이가 딴 도토리는 전체의 몇 분의 몇일까요?

답 : ________

다음 물음에 답하세요.

⑦ 분모가 8인 분수 중 $\frac{13}{8}$보다 작은 가분수는 모두 몇 개일까요?

답 : ________

⑧ 분모가 15인 분수 중 $\frac{10}{15}$보다 크고, $\frac{19}{15}$보다 작은 진분수는 모두 몇 개일까요?

답 : ________

5회차

진단평가

다음 물음에 답하세요.

① 윤기는 선물용 끈 58 mm를 사용했습니다. 윤기가 사용한 선물용 끈은 몇 cm일까요?

답 : ____________

② 불을 켜 놓은 양초의 길이가 10분 동안 91 mm 줄었습니다. 10분 동안 줄어든 양초의 길이는 몇 cm일까요?

답 : ____________

다음 물음에 답하세요.

③ 상현이는 숙제를 하는 데 $\frac{1}{12}$시간이 걸렸고, 상아는 $\frac{1}{10}$시간이 걸렸고, 미희는 $\frac{1}{6}$시간이 걸렸습니다. 숙제를 하는 데 가장 오래 걸린 사람은 누구일까요?

답 : ____________

④ 피자 한 판을 시켜서 동우는 $\frac{5}{8}$판을 먹었고, 엄마는 $\frac{2}{8}$판을 먹었고, 나머지는 아빠가 먹었습니다. 피자를 가장 적게 먹은 사람은 누구일까요?

답 : ____________

다음 물음에 답하세요.

⑤ 농장에 있는 동물 36마리 중 $\frac{2}{9}$는 돼지입니다. 농장에 있는 돼지는 몇 마리일까요?

답 : ____________

⑥ 나은이는 모으기로 한 우표 27장 중 $\frac{2}{3}$를 모았습니다. 나은이가 모은 우표는 몇 장일까요?

답 : ____________

다음 물음에 답하세요.

⑦ 태웅이는 쿠키를 친구들과 $\frac{23}{6}$개씩 나누어 먹었습니다. 태웅이가 먹은 쿠키의 수를 대분수로 나타내면 몇 개일까요?

답 : ____________

⑧ 우종이는 물을 $\frac{7}{4}$ L 마셨습니다. 우종이가 마신 물의 양을 대분수로 나타내면 몇 L일까요?

답 : ____________

Memo

하루 10분 서술형/문장제 학습지

씨투엠

수학 독해

정답

C4 분수와 소수

초3~초4

정답

C4

분수와 소수

초3~초4

1주 분수와 소수

P 06 ~ 07

1일 몇 분의 몇

❀ 그림을 보고 빈칸에 알맞은 수를 써넣으세요.

색칠한 부분은 전체를 똑같이 [2] (으)로 나눈 것 중의 [1] 입니다.

① 색칠한 부분은 전체를 똑같이 [4] (으)로 나눈 것 중의 [1] 입니다.

② 색칠한 부분은 전체를 똑같이 [3] (으)로 나눈 것 중의 [2] 입니다.

③ 색칠한 부분은 전체를 똑같이 [5] (으)로 나눈 것 중의 [3] 입니다.

④ 색칠한 부분은 전체를 똑같이 [6] (으)로 나눈 것 중의 [5] 입니다.

❀ 빈칸에 알맞은 수를 써넣으세요.

전체를 똑같이 5로 나눈 것 중의 2는 $\frac{2}{5}$ 입니다.

① 전체를 똑같이 3으로 나눈 것 중의 1은 $\frac{1}{3}$ 입니다.

② 전체를 똑같이 4로 나눈 것 중의 2는 $\frac{2}{4}$ 입니다.

③ 전체를 똑같이 7로 나눈 것 중의 4는 $\frac{4}{7}$ 입니다.

④ 전체를 똑같이 8로 나눈 것 중의 1은 $\frac{1}{8}$ 입니다.

6 C4-분수와 소수 　　　 1주: 분수와 소수 7

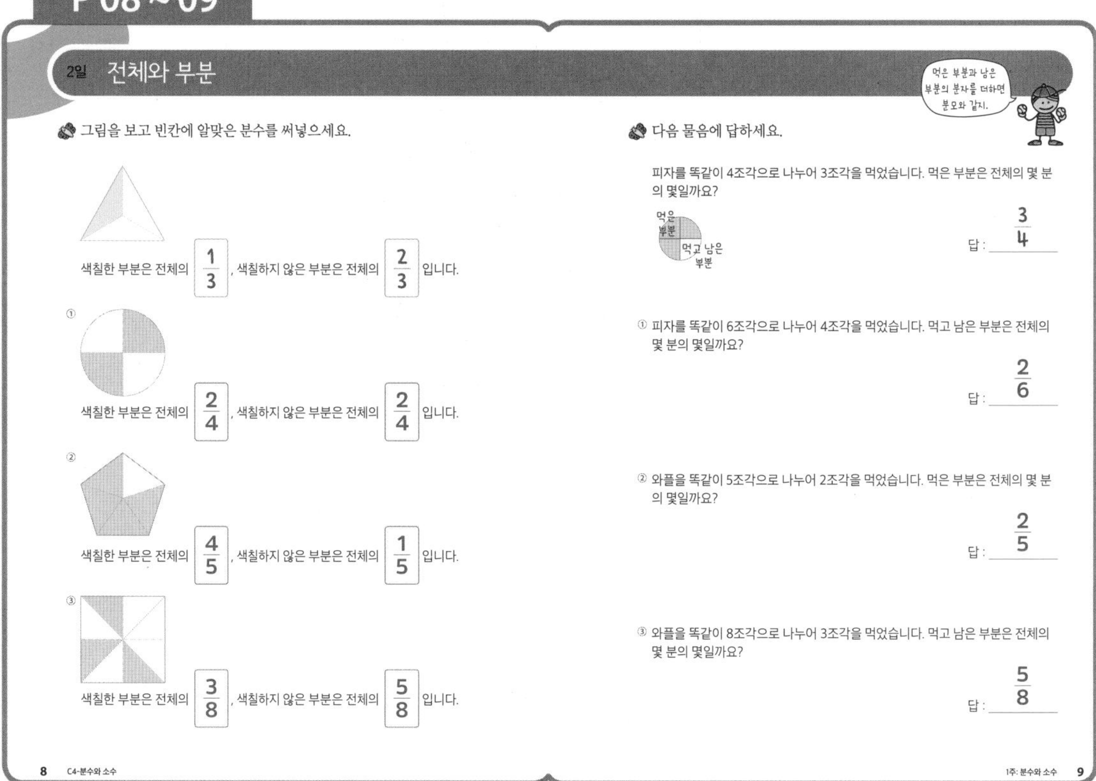

P 08 ~ 09

2일 전체와 부분

❀ 그림을 보고 빈칸에 알맞은 분수를 써넣으세요.

색칠한 부분은 전체의 $\frac{1}{3}$, 색칠하지 않은 부분은 전체의 $\frac{2}{3}$ 입니다.

① 색칠한 부분은 전체의 $\frac{2}{4}$, 색칠하지 않은 부분은 전체의 $\frac{2}{4}$ 입니다.

② 색칠한 부분은 전체의 $\frac{4}{5}$, 색칠하지 않은 부분은 전체의 $\frac{1}{5}$ 입니다.

③ 색칠한 부분은 전체의 $\frac{3}{8}$, 색칠하지 않은 부분은 전체의 $\frac{5}{8}$ 입니다.

❀ 다음 물음에 답하세요.

피자를 똑같이 4조각으로 나누어 3조각을 먹었습니다. 먹은 부분은 전체의 몇 분의 몇일까요?

답 : $\frac{3}{4}$

① 피자를 똑같이 6조각으로 나누어 4조각을 먹었습니다. 먹고 남은 부분은 전체의 몇 분의 몇일까요?

답 : $\frac{2}{6}$

② 와플을 똑같이 5조각으로 나누어 2조각을 먹었습니다. 먹은 부분은 전체의 몇 분의 몇일까요?

답 : $\frac{2}{5}$

③ 와플을 똑같이 8조각으로 나누어 3조각을 먹었습니다. 먹고 남은 부분은 전체의 몇 분의 몇일까요?

답 : $\frac{5}{8}$

8 C4-분수와 소수 　　　 1주: 분수와 소수 9

P 10 ~ 11

3일 분수만큼 몇 조각

그림을 그려서 직접 색칠한 조각의 수를 세어 봐.

주어진 지시에 맞게 분수만큼 색칠하고, 물음에 답하세요.

똑같이 4조각으로 나누어 전체의 $\frac{1}{2}$만큼 색칠하였습니다. 색칠한 부분은 몇 조각일까요?

답 : 2조각

① 똑같이 6조각으로 나누어 전체의 $\frac{1}{3}$만큼 색칠하였습니다. 색칠한 부분은 몇 조각일까요?

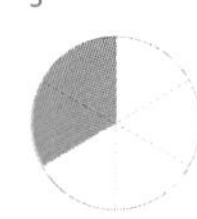

답 : 2조각

② 똑같이 8조각으로 나누어 전체의 $\frac{1}{2}$만큼 색칠하였습니다. 색칠한 부분은 몇 조각일까요?

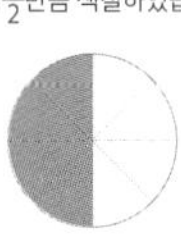

답 : 4조각

다음 물음에 답하세요.

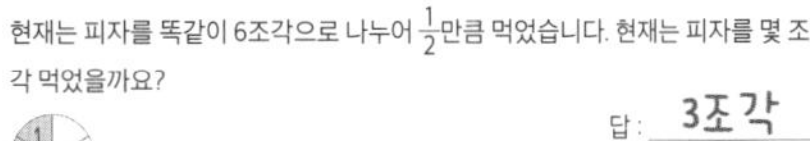

현재는 피자를 똑같이 6조각으로 나누어 $\frac{1}{2}$만큼 먹었습니다. 현재는 피자를 몇 조각 먹었을까요?

답 : 3조각

① 조이는 케이크를 똑같이 4조각으로 나누어 $\frac{1}{4}$만큼 먹었습니다. 조이는 케이크를 몇 조각 먹었을까요?

답 : 1조각

② 해미는 빵을 똑같이 6조각으로 나누어 $\frac{2}{3}$만큼 먹었습니다. 해미는 빵을 몇 조각 먹었을까요?

답 : 4조각

③ 미루는 초콜릿을 똑같이 8조각으로 나누어 $\frac{3}{4}$만큼 먹었습니다. 미루는 초콜릿을 몇 조각 먹었을까요?

답 : 6조각

10 C4-분수와 소수 1주: 분수와 소수 11

P 12 ~ 13

4일 영점 몇

0.1, 0.2, 0.3과 같은 수를 소수라 하고, '.'을 소수점이라 불러.

그림을 보고 밑줄 친 곳에 알맞은 수와 말을 써넣으세요.

색칠한 부분은 0.4 (이)라 쓰고, 영점 사 (이)라 읽습니다.

①

색칠한 부분은 0.6 (이)라 쓰고, 영점 육 (이)라 읽습니다.

②

색칠한 부분은 0.2 (이)라 쓰고, 영점 이 (이)라 읽습니다.

③

색칠한 부분은 0.9 (이)라 쓰고, 영점 구 (이)라 읽습니다.

④

색칠한 부분은 0.5 (이)라 쓰고, 영점 오 (이)라 읽습니다.

다음 물음에 답하세요.

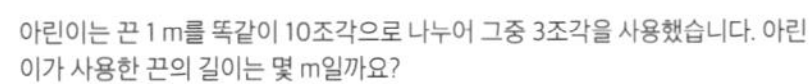

아린이는 끈 1 m를 똑같이 10조각으로 나누어 그중 3조각을 사용했습니다. 아린이가 사용한 끈의 길이는 몇 m일까요?

0.1이 3개면 0.3

답 : 0.3 m

① 주민이는 색 테이프 1 m를 똑같이 10조각으로 나누어 그중 5조각을 사용했습니다. 주민이가 사용한 색 테이프의 길이는 몇 m일까요?

답 : 0.5 m

② 주하는 물 1 L를 똑같이 10컵으로 나누어 그중 4컵을 마셨습니다. 주하가 마신 물의 양은 몇 L일까요?

답 : 0.4 L

③ 예진이는 밀가루 1 kg을 똑같이 10그릇에 나누어 담아 그중 7그릇을 사용했습니다. 예진이가 사용한 밀가루의 무게는 몇 kg일까요?

답 : 0.7 kg

12 C4-분수와 소수 1주: 분수와 소수 13

1주 분수와 소수

P 14 ~ 15

5일 몇점 몇

❀ 밑줄 친 곳에 알맞은 수를 써넣으세요.

3.6은 0.1이 36 개입니다.
0.1이 36개이면 3.6입니다.

① 2.8은 0.1이 28 개입니다.

② 4.4는 0.1 이 44개입니다.

③ 0.1이 75개이면 7.5 입니다.

④ 0.1이 57 개이면 5.7입니다.

⑤ 6.8은 $\frac{1}{10}$이 68 개입니다.

⑥ $\frac{1}{10}$이 92개이면 9.2 입니다.

❀ 다음 물음에 답하세요.

민희는 색 테이프를 4 mm만큼 사용했습니다. 민희가 사용한 색 테이프의 길이는 몇 cm일까요?
1 mm = 0.1 cm, 4 mm = 0.4 cm
답 : 0.4 cm

① 혜진이는 길이가 15 mm인 클립을 샀습니다. 혜진이가 산 클립의 길이는 몇 cm일까요?
답 : 1.5 cm

② 지만이는 머리카락이 28 mm 자랐습니다. 지만이의 머리카락은 몇 cm 자랐을까요?
답 : 2.8 cm

③ 파란색 크레파스의 길이는 53mm입니다. 파란색 크레파스의 길이는 몇 cm일까요?
답 : 5.3 cm

P 16 ~ 17

확인학습

빈칸에 알맞은 분수를 써넣으세요.

① 전체를 똑같이 5로 나눈 것 중의 4는 $\frac{4}{5}$ 입니다.

② 전체를 똑같이 6으로 나눈 것 중의 3은 $\frac{3}{6}$ 입니다.

다음 물음에 답하세요.

③ 초콜릿을 똑같이 3조각으로 나누어 1조각을 먹었습니다. 먹은 부분은 전체의 몇 분의 몇일까요?
답 : $\frac{1}{3}$

④ 초콜릿을 똑같이 5조각으로 나누어 4조각을 먹었습니다. 먹고 남은 부분은 전체의 몇 분의 몇일까요?
답 : $\frac{1}{5}$

다음 물음에 답하세요.

⑤ 수리는 와플을 똑같이 5조각으로 나누어 $\frac{3}{5}$만큼 먹었습니다. 수리는 와플을 몇 조각 먹었을까요?
답 : 3조각

⑥ 동하는 쿠키를 똑같이 4조각으로 나누어 $\frac{1}{2}$만큼 먹었습니다. 동하는 쿠키를 몇 조각 먹었을까요?
답 : 2조각

다음 물음에 답하세요.

⑦ 가연이는 길이가 1 m인 막대를 똑같이 10도막으로 나누어 그중 8도막을 가졌습니다. 가연이가 가진 막대의 길이는 몇 m일까요?
답 : 0.8 m

⑧ 진아는 우유 1 L를 똑같이 10컵으로 나누어 그중 2컵을 마셨습니다. 진아가 마신 우유의 양은 몇 L일까요?
답 : 0.2 L

P 18

확인학습

다음 물음에 답하세요.

⑨ 연주는 종이 테이프를 8 mm만큼 사용했습니다. 연주가 사용한 종이 테이프의 길이는 몇 cm일까요?

답 : 0.8 cm

⑩ 연서가 가진 색연필의 길이는 75 mm입니다. 연서가 가진 색연필의 길이는 몇 cm일까요?

답 : 7.5 cm

⑪ 동민이가 사용하는 칫솔의 길이는 84 mm입니다. 동민이가 사용하는 칫솔의 길이는 몇 cm일까요?

답 : 8.4 cm

⑫ 미현이가 키우는 새싹이 일주일 동안 46 mm 자랐습니다. 미현이가 키우는 새싹은 일주일 동안 몇 cm 자랐을까요?

답 : 4.6 cm

18 C4-분수와 소수

2주 크기 비교

P 20 ~ 21

1일 분모가 같은 분수 비교(1)

분모가 같은 분수는 분자가 클수록 더 큰 분수야.

주어진 분수만큼 색칠하고 ○ 안에 >, =, <를 알맞게 써넣으세요.

$\frac{4}{5}$, $\frac{3}{5}$: $\frac{4}{5}$ (>) $\frac{3}{5}$

① $\frac{3}{6}$, $\frac{4}{6}$: $\frac{3}{6}$ (<) $\frac{4}{6}$

② $\frac{2}{3}$, $\frac{1}{3}$: $\frac{2}{3}$ (>) $\frac{1}{3}$

③ $\frac{5}{7}$, $\frac{6}{7}$: $\frac{5}{7}$ (<) $\frac{6}{7}$

④ $\frac{2}{8}$, $\frac{3}{8}$: $\frac{2}{8}$ (<) $\frac{3}{8}$

밑줄 친 곳에 알맞은 수나 말을 써넣으세요.

$\frac{3}{5}$은 $\frac{1}{5}$이 3 개, $\frac{2}{5}$는 $\frac{1}{5}$이 2 개이므로 $\frac{3}{5}$은 $\frac{2}{5}$보다 더 큽니다.

① $\frac{1}{4}$은 $\frac{1}{4}$이 1 개, $\frac{2}{4}$는 $\frac{1}{4}$이 2 개이므로 $\frac{1}{4}$은 $\frac{2}{4}$보다 더 작습니다.

② $\frac{4}{5}$는 $\frac{1}{5}$이 4 개, $\frac{3}{5}$은 $\frac{1}{5}$이 3 개이므로 $\frac{4}{5}$는 $\frac{3}{5}$보다 더 큽니다.

③ $\frac{2}{6}$는 $\frac{1}{6}$이 2 개, $\frac{4}{6}$는 $\frac{1}{6}$이 4 개이므로 $\frac{2}{6}$는 $\frac{4}{6}$보다 더 작습니다.

④ $\frac{6}{7}$은 $\frac{1}{7}$이 6 개, $\frac{5}{7}$는 $\frac{1}{7}$이 5 개이므로 $\frac{6}{7}$은 $\frac{5}{7}$보다 더 큽니다.

20 C4-분수와 소수 / 2주: 크기 비교 21

P 22 ~ 23

2일 분모가 같은 분수 비교(2)

분자가 분모보다 작은 분수를 진분수라고 해.

다음 물음에 답하세요.

분모가 5인 분수 중 $\frac{1}{5}$보다 크고, $\frac{4}{5}$보다 작은 분수는 모두 몇 개일까요?

$\frac{1}{5} < \frac{2}{5} < \frac{3}{5} < \frac{4}{5}$

답 : 2개

① 분모가 7인 분수 중 $\frac{2}{7}$보다 크고, $\frac{6}{7}$보다 작은 분수는 모두 몇 개일까요?

답 : 3개

② 분모가 9인 분수 중 $\frac{4}{9}$보다 크고, $\frac{7}{9}$보다 작은 분수는 모두 몇 개일까요?

답 : 2개

③ 분모가 10인 분수 중 $\frac{3}{10}$보다 크고, $\frac{8}{10}$보다 작은 분수는 모두 몇 개일까요?

답 : 4개

다음 물음에 답하세요.

분모가 8인 진분수 중 두 번째로 큰 분수는 몇 분의 몇일까요?

$\frac{6}{8} < \frac{7}{8}$

답 : $\frac{6}{8}$

① 분모가 6인 진분수 중 가장 작은 분수는 몇 분의 몇일까요?

답 : $\frac{1}{6}$

② 분모가 11인 진분수 중 두 번째로 큰 분수는 몇 분의 몇일까요?

답 : $\frac{9}{11}$

③ 분모가 12인 진분수 중 가장 큰 분수는 몇 분의 몇일까요?

답 : $\frac{11}{12}$

④ 분모가 7인 진분수 중 두 번째로 작은 분수는 몇 분의 몇일까요?

답 : $\frac{2}{7}$

22 C4-분수와 소수 / 2주: 크기 비교 23

P 24 ~ 25

3일 단위분수 비교

주어진 분수만큼 색칠하고 ○ 안에 >, =, <를 알맞게 써넣으세요.

$\frac{1}{3}$ (>) $\frac{1}{4}$

① $\frac{1}{4}$ (<) $\frac{1}{2}$

② $\frac{1}{3}$ (>) $\frac{1}{5}$

③ $\frac{1}{7}$ (<) $\frac{1}{6}$

④ $\frac{1}{9}$ (<) $\frac{1}{8}$

다음 물음에 답하세요.

단위분수 중 $\frac{1}{5}$보다 크고, $\frac{1}{2}$보다 작은 분수는 모두 몇 개일까요?

$\frac{1}{5} < \frac{1}{4} < \frac{1}{3} < \frac{1}{2}$

답 : 2개

① 단위분수 중 $\frac{1}{8}$보다 크고, $\frac{1}{3}$보다 작은 분수는 모두 몇 개일까요?

답 : 4개

② 단위분수 중 $\frac{1}{10}$보다 크고, $\frac{1}{8}$보다 작은 분수는 모두 몇 개일까요?

답 : 1개

③ 단위분수 중 $\frac{1}{12}$보다 크고, $\frac{1}{6}$보다 작은 분수는 모두 몇 개일까요?

답 : 5개

24 C4-분수와 소수 · 2주: 크기 비교 25

P 26 ~ 27

4일 분수의 크기 비교

다음 물음에 답하세요.

진희는 피자를 $\frac{3}{8}$판 먹었고, 현호는 나머지 피자를 먹었습니다. 더 많은 피자를 먹은 사람은 누구일까요?

현호가 먹은 피자는 전체 8조각 중 5조각이므로 $\frac{5}{8}$판

답 : 현호

① 현진이는 포장용 끈을 $\frac{5}{6}$ m 사용하였고, 수연이는 $\frac{3}{6}$ m를 사용하였습니다. 포장용 끈을 더 적게 사용한 사람은 누구일까요?

답 : 수연

② 빨간색 테이프의 길이는 $\frac{1}{12}$ m이고, 파란색 테이프의 길이는 $\frac{1}{10}$ m입니다. 둘 중 더 긴 테이프는 무슨 색깔일까요?

답 : 파란색

③ 하윤이는 색종이 한 장 전체의 $\frac{6}{10}$을 가지고, 나머지는 정후가 가졌습니다. 둘 중 색종이를 더 적게 가진 사람은 누구일까요?

답 : 정후

다음 물음에 답하세요.

집에서 학교까지의 거리는 $\frac{1}{2}$ km, 집에서 도서관까지의 거리는 $\frac{1}{3}$ km, 집에서 공원까지의 거리는 $\frac{1}{4}$ km입니다. 집에서 가장 먼 곳은 어디일까요?

$\frac{1}{4} < \frac{1}{3} < \frac{1}{2}$

답 : 학교

① 세 친구가 빵 하나를 나누어 먹습니다. 정호는 전체의 $\frac{2}{6}$를 먹었고, 송이는 $\frac{1}{6}$을 먹었고, 한영이는 $\frac{3}{6}$을 먹었습니다. 빵을 가장 적게 먹은 사람은 누구일까요?

답 : 송이

② 도화지 한 장 전체의 $\frac{1}{5}$에 빨간색을 칠하고, $\frac{1}{9}$에 파란색을 칠하고, $\frac{1}{6}$에 초록색을 칠했습니다. 가장 좁은 면에 칠한 색깔은 무엇일까요?

답 : 파란색

③ 수애는 우유 $\frac{4}{10}$ L를 마셨고, 현빈이는 $\frac{8}{10}$ L를 마셨고, 기용이는 $\frac{7}{10}$ L를 마셨습니다. 우유를 가장 많이 마신 사람은 누구일까요?

답 : 현빈

26 C4-분수와 소수 · 2주: 크기 비교 27

2주 크기 비교

P 28 ~ 29

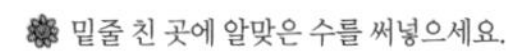

5일 소수의 크기 비교

자연수 부분을 먼저 비교한 후 같으면 소수 부분을 비교해.

❀ 밑줄 친 곳에 알맞은 수를 써넣으세요.

4.7은 0.1이 47 개이고, 5.5는 0.1이 55 개이므로
4.7과 5.5 중 더 큰 소수는 5.5 입니다.
4.7 < 5.5

① 1.5는 0.1이 15 개이고, 1.4는 0.1이 14 개이므로
1.5와 1.4 중 더 큰 소수는 1.5 입니다.

② 3.3은 0.1이 33 개이고, 3.8은 0.1이 38 개이므로
3.3과 3.8 중 더 작은 소수는 3.3 입니다.

③ 2.9는 0.1이 29 개이고, 3.1은 0.1이 31 개이므로
2.9와 3.1 중 더 작은 소수는 2.9 입니다.

④ 7.2는 0.1이 72 개이고, 6.7은 0.1이 67 개이므로
7.2와 6.7 중 더 큰 소수는 7.2 입니다.

❀ 다음 물음에 답하세요.

우상이가 키운 강낭콩은 1.1 m 자랐고, 준우가 키운 강낭콩은 0.9 m 자랐습니다. 둘 중 누가 키운 강낭콩이 더 많이 자랐을까요?
1.1 > 0.9
우상

① 공원에서 도서관까지의 거리는 2.8 km, 공원에서 학교까지의 거리는 3.3 km입니다. 도서관과 학교 중 공원에서 더 가까운 곳은 어디일까요?
도서관

② 일주일 동안 우유를 현아는 4.5 L, 주혁이는 4.3 L, 두희는 4.9 L 마셨습니다. 일주일 동안 우유를 가장 많이 마신 사람은 누구일까요?
두희

③ 딱풀의 길이는 56 mm, 지우개의 길이는 5.3 cm, 네임펜의 길이는 8.2 cm입니다. 셋 중 가장 짧은 것은 무엇일까요?
지우개

28 C4-분수와 소수 　　　 2주: 크기 비교 29

P 30 ~ 31

확인학습

✎ 밑줄 친 곳에 알맞은 수나 말을 써넣으세요.

① $\frac{1}{3}$은 $\frac{1}{3}$이 1 개, $\frac{2}{3}$는 $\frac{1}{3}$이 2 개이므로
$\frac{1}{3}$은 $\frac{2}{3}$보다 더 작습니다 .

② $\frac{4}{8}$는 $\frac{1}{8}$이 4 개, $\frac{5}{8}$는 $\frac{1}{8}$이 5 개이므로
$\frac{4}{8}$는 $\frac{5}{8}$보다 더 작습니다 .

✎ 다음 물음에 답하세요.

③ 분모가 8인 분수 중 $\frac{2}{8}$보다 크고, $\frac{4}{8}$보다 작은 분수는 모두 몇 개일까요?
답 : 1개

④ 분모가 12인 분수 중 $\frac{6}{12}$보다 크고, $\frac{10}{12}$보다 작은 분수는 모두 몇 개일까요?
답 : 3개

✎ 다음 물음에 답하세요.

⑤ 단위분수 중 $\frac{1}{4}$보다 큰 분수는 모두 몇 개일까요?
답 : 2개

⑥ 단위분수 중 $\frac{1}{11}$보다 크고, $\frac{1}{7}$보다 작은 분수는 모두 몇 개일까요?
답 : 3개

✎ 다음 물음에 답하세요.

⑦ 소연이는 몸무게를 $\frac{1}{3}$ kg 줄였고, 미현이는 몸무게를 $\frac{1}{2}$ kg 줄였습니다. 둘 중 몸무게를 더 많이 줄인 사람은 누구일까요?
답 : 미현

⑧ 아린이는 우유 한 병 전체의 $\frac{3}{7}$을 마시고, 나머지는 은혜가 마셨습니다. 둘 중 우유를 더 적게 마신 사람은 누구일까요?
답 : 아린

30 C4-분수와 소수 　　　 2주: 크기 비교 31

P 32

확인학습

다음 물음에 답하세요.

⑨ 냉장고에 소고기 1.6 kg과 돼지고기 1.4 kg이 있습니다. 소고기와 돼지고기 중 냉장고에 더 많은 것은 무엇일까요?

소고기

⑩ 비닐 끈의 길이는 12 cm 1 mm이고, 철 끈의 길이는 10.8 cm입니다. 둘 중 더 짧은 끈은 무엇일까요?

철 끈

⑪ 멀리뛰기를 현주는 1.3 m, 영훈이는 0.7 m, 로하는 1.1 m 뛰었습니다. 가장 멀리 뛴 사람은 누구일까요?

현주

⑫ 시력 검사에서 두섭이는 0.8, 은호는 1.5, 주엽이는 1.2가 나왔습니다. 셋 중 시력이 가장 좋은 사람은 누구일까요?

은호

32 C4-분수와 소수

3주 묶음과 분수

P 34 ~ 35

1일 분수로 나타내기(1)

12를 2씩 묶으면 묶음의 수는 6개가 되지. 6은 2씩 3묶음이야.

빈칸에 알맞은 수를 써넣으세요.

10을 2씩 묶으면 5 묶음이 되고, 4는 그중 2 묶음입니다.

색칠한 부분은 5 묶음 중에서 2 묶음이므로 4는 10의 $\frac{2}{5}$ 입니다.

① 10을 2씩 묶으면 5 묶음이 되고, 6은 그중 3 묶음입니다.

색칠한 부분은 5 묶음 중에서 3 묶음이므로 6은 10의 $\frac{3}{5}$ 입니다.

② 12를 3씩 묶으면 4 묶음이 되고, 9는 그중 3 묶음입니다.

색칠한 부분은 4 묶음 중에서 3 묶음이므로 9는 12의 $\frac{3}{4}$ 입니다.

그림을 보고 빈칸에 알맞은 분수를 써넣으세요.

12를 2씩 묶으면 6은 12의 $\frac{3}{6}$ 입니다.

① 12를 3씩 묶으면 6은 12의 $\frac{2}{4}$ 입니다.

② 12를 6씩 묶으면 6은 12의 $\frac{1}{2}$ 입니다.

③ 20을 4씩 묶으면 8은 20의 $\frac{2}{5}$ 입니다.

④ 20을 5씩 묶으면 15는 20의 $\frac{3}{4}$ 입니다.

⑤ 20을 2씩 묶으면 10은 20의 $\frac{5}{10}$ 입니다.

34 C4-분수와 소수 3주: 묶음과 분수 35

P 36 ~ 37

2일 분수로 나타내기(2)

우선 몇 개씩 묶으면 전체가 몇 묶음이 되는지 구해 봐.

다음 물음에 답하세요.

바둑돌 12개 중 검은 바둑돌은 9개입니다. 바둑돌을 3개씩 묶으면 검은 바둑돌은 전체의 몇 분의 몇일까요?

답 : $\frac{3}{4}$

① 진호는 피자를 똑같이 8조각으로 나눈 것 중 6조각을 먹었습니다. 피자를 2조각씩 묶으면 진호가 먹은 피자는 전체의 몇 분의 몇일까요?

답 : $\frac{3}{4}$

② 미연이는 사과 18개 중 9개를 가졌습니다. 사과를 3개씩 묶으면 미연이가 가진 사과는 전체의 몇 분의 몇일까요?

답 : $\frac{3}{6}$

③ 1반 학생 30명 중 20명이 안경을 썼습니다. 학생을 5명씩 묶으면 안경을 쓴 학생은 전체의 몇 분의 몇일까요?

답 : $\frac{4}{6}$

④ 가람이는 색종이 24장 중 16장을 사용했습니다. 색종이를 8장씩 묶으면 가람이가 사용한 색종이는 전체의 몇 분의 몇일까요?

답 : $\frac{2}{3}$

⑤ 연주가 만든 초콜릿 12개 중 8개를 포장했습니다. 초콜릿을 2개씩 묶으면 포장한 초콜릿은 전체의 몇 분의 몇일까요?

답 : $\frac{4}{6}$

⑥ 색연필 20자루 중 16자루가 빨간색 색연필입니다. 색연필을 4자루씩 묶으면 빨간색 색연필은 전체의 몇 분의 몇일까요?

답 : $\frac{4}{5}$

⑦ 혜진이가 체리 36개 중 21개를 먹었습니다. 체리를 3개씩 묶으면 혜진이가 먹은 체리는 전체의 몇 분의 몇일까요?

답 : $\frac{7}{12}$

36 C4-분수와 소수 3주: 묶음과 분수 37

P 38 ~ 39

3일 분수만큼(1)

그림을 보고 밑줄 친 곳에 알맞은 수를 써넣으세요.

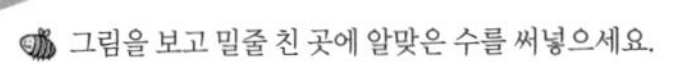

12의 $\frac{1}{3}$은 4 입니다. 12를 3묶음으로 나눈 것 중의 1

① 12의 $\frac{3}{4}$은 9 입니다.

② 12의 $\frac{5}{6}$는 10 입니다.

③ 18의 $\frac{1}{2}$은 9 입니다.

④ 18의 $\frac{4}{6}$는 12 입니다.

⑤ 18의 $\frac{2}{9}$는 4 입니다.

다음 물음에 답하세요.

시은이네 반 학생 32명 중 $\frac{5}{8}$가 남학생입니다. 시은이네 반 남학생은 몇 명일까요?

32명을 8묶음으로 나누면 1묶음에 32÷8=4(명),
5묶음은 4×5=20(명)

답 : 20명

① 수리는 조각 케이크 16조각 중 $\frac{3}{4}$을 먹었습니다. 수리가 먹은 조각 케이크는 몇 조각일까요?

답 : 12조각

② 연주는 색종이 40장 중 $\frac{2}{5}$를 사용했습니다. 연주가 사용한 색종이는 몇 장일까요?

답 : 16장

③ 책장에 있는 책 28권 중 $\frac{5}{7}$는 동화책입니다. 책장에 있는 동화책은 몇 권일까요?

답 : 20권

P 40 ~ 41

4일 분수만큼(2)

그림을 보고 밑줄 친 곳에 알맞은 수를 써넣으세요.

10 cm의 $\frac{1}{2}$은 5 cm입니다. 10 cm를 2부분으로 나눈 것 중의 1

① 10 cm의 $\frac{2}{5}$는 4 cm입니다.

② 10 cm의 $\frac{4}{5}$는 8 cm입니다.

③ 12 cm의 $\frac{1}{3}$은 4 cm입니다.

④ 12 cm의 $\frac{3}{4}$은 9 cm입니다.

⑤ 12 cm의 $\frac{5}{6}$는 10 cm입니다.

다음 물음에 답하세요.

영주는 길이가 30 cm인 색 테이프의 $\frac{2}{6}$를 사용했습니다. 영주가 사용한 색 테이프는 몇 cm일까요?

30 cm를 6도막으로 나누면 1도막에 30÷6=5(cm),
2도막은 5×2=10(cm)

답 : 10 cm

① 봄이네 가족은 할머니네 집까지 가는 거리 18 km 중 자동차로 $\frac{2}{3}$를 갔습니다. 봄이네 가족이 자동차로 간 거리는 몇 km일까요?

답 : 12 km

② 지현이는 하루 24시간의 $\frac{3}{8}$을 잠을 자는 데 씁니다. 지현이가 하루에 잠을 자는 시간은 몇 시간일까요?

답 : 9시간

③ 곰지네 가족은 약수터에서 받아온 물 45 L 중 $\frac{7}{9}$을 마셨습니다. 곰지네 가족이 마신 물은 몇 L일까요?

답 : 35 L

P 42 ~ 43

5일 분수만큼(3)

분수만큼 구한 수를 더하는 상황과 빼는 상황이야.

다음 물음에 답하세요.

꽃집에 있는 꽃 36송이 중 $\frac{4}{9}$는 장미, $\frac{1}{4}$은 튤립입니다. 장미와 튤립은 모두 몇 송이일까요?

장미 : 36÷9=4, 4×4=16(송이)
튤립 : 36÷4=9, 9×1=9(송이)
(장미)+(튤립)=16+9=25(송이)

답 : 25송이

① 선호는 포장용 끈 42 cm 중 어제 $\frac{1}{6}$을 사용했고, 오늘 $\frac{2}{7}$를 사용했습니다. 선호가 이틀 동안 사용한 포장용 끈은 몇 cm일까요?

답 : 19 cm

② 색종이 27장 중 $\frac{1}{3}$은 빨간색, $\frac{5}{9}$는 파란색입니다. 빨간색과 파란색 색종이는 모두 몇 장일까요?

답 : 24장

③ 현우는 동화책 72쪽 중 어제 $\frac{3}{8}$을 읽었고, 오늘 $\frac{1}{6}$을 읽었습니다. 어제와 오늘 읽은 동화책은 몇 쪽일까요?

답 : 39쪽

다음 물음에 답하세요.

스티커 18장 중 상현이가 $\frac{1}{2}$을 가졌고, 경선이가 $\frac{4}{9}$를 가졌습니다. 스티커를 누가 몇 장 더 많이 가졌을까요?

답 : 상현, 1장

① 연지네 가족은 냉장고에 있는 물 30 L 중 어제 $\frac{1}{5}$을 마셨고, 오늘 $\frac{1}{3}$을 마셨습니다. 어제와 오늘 중 물을 더 많이 마신 날은 언제이고, 몇 L 더 많이 마셨을까요?

답 : 오늘, 4 L

② 집에서 공원까지의 거리 20 km 중 $\frac{3}{4}$은 자전거를 타고 갔고, 나머지는 걸어갔습니다. 자전거로 간 거리와 걸어간 거리 중 어느 것이 몇 km 더 길까요?

답 : 자전거, 10 km

③ 과일 35개 중 $\frac{2}{5}$는 사과이고, $\frac{2}{7}$는 복숭아입니다. 사과와 복숭아 중 어느 것이 몇 개 더 많을까요?

답 : 사과, 4개

42 C4-분수와 소수　　3주: 묶음과 분수 43

P 44 ~ 45

확인학습

빈칸에 알맞은 분수를 써넣으세요.

① 24를 2씩 묶으면 18은 24의 $\frac{9}{12}$ 입니다.

② 24를 3씩 묶으면 18은 24의 $\frac{6}{8}$ 입니다.

③ 24를 6씩 묶으면 18은 24의 $\frac{3}{4}$ 입니다.

다음 물음에 답하세요.

④ 마음이는 사탕 15개 중 9개를 먹었습니다. 사탕을 3개씩 묶으면 마음이가 먹은 사탕은 전체의 몇 분의 몇일까요?

답 : $\frac{3}{5}$

⑤ 와플을 똑같이 12조각으로 나눈 것 중 6조각이 남았습니다. 와플을 6조각씩 묶으면 남은 와플은 전체의 몇 분의 몇일까요?

답 : $\frac{1}{2}$

다음 물음에 답하세요.

⑥ 바둑돌 24개 중 $\frac{7}{8}$은 흰 바둑돌입니다. 흰 바둑돌은 몇 개일까요?

답 : 21개

⑦ 민진이는 자신이 삶은 달걀 18개 중 $\frac{5}{6}$를 먹었습니다. 민진이가 먹은 달걀은 몇 개일까요?

답 : 15개

다음 물음에 답하세요.

⑧ 오준이와 친구들은 냉장고에 있던 우유 15 L 중 $\frac{4}{5}$를 마셨습니다. 오준이와 친구들이 마신 우유는 몇 L일까요?

답 : 12 L

⑨ 수란이는 철사 28 cm 중 얼마를 사용하고 $\frac{1}{4}$을 남겼습니다. 수란이가 남긴 철사는 몇 cm일까요?

답 : 7 cm

44 C4-분수와 소수　　3주: 묶음과 분수 45

P 46

확인학습

다음 물음에 답하세요.

⑩ 지호는 하루 24시간 중 $\frac{1}{4}$은 잠을 자는 데 쓰고, $\frac{1}{8}$은 밥을 먹는 데 씁니다. 지호가 하루에 잠을 자거나 밥을 먹는 데 쓰는 시간은 몇 시간일까요?

답 : 9시간

⑪ 초콜릿 45개 중 $\frac{2}{5}$는 민재가 먹었고, $\frac{4}{9}$는 효린이가 먹었습니다. 민재와 효린이가 먹은 초콜릿은 몇 개일까요?

답 : 38개

⑫ 냉장고에 있는 고기 16 kg 중 $\frac{1}{4}$은 돼지고기이고, $\frac{3}{8}$은 소고기입니다. 돼지고기와 소고기 중 어느 고기가 몇 kg 더 많을까요?

답 : 소고기 , 2 kg

⑬ 화선이네 반 학생 28명 중 $\frac{4}{7}$는 여학생입니다. 화선이네 반의 여학생과 남학생 중 더 많은 것은 누구이고, 몇 명 더 많을까요?

답 : 여학생 , 4명

46 C4-분수와 소수

4주 여러 가지 분수

P 48 ~ 49

1일 진분수와 가분수

❀ 조건에 맞는 분수를 찾아 ○표 하세요.

분모와 분자의 합이 9인 가분수입니다.

$\frac{1}{7}$ $\frac{4}{5}$ $\frac{6}{5}$ ($\frac{7}{2}$)

분모와 분자의 합이 9인 분수 중 분자가 분모와 같거나 더 큰 분수

① 분모와 분자의 합이 12인 진분수입니다.

$\frac{2}{9}$ $\frac{4}{7}$ $\frac{9}{3}$ ($\frac{4}{8}$)

② 분모와 분자의 합이 11인 가분수입니다.

($\frac{6}{5}$) $\frac{9}{3}$ $\frac{1}{10}$ $\frac{6}{4}$

③ 분모와 분자의 합이 15인 가분수입니다.

$\frac{3}{13}$ ($\frac{8}{7}$) $\frac{6}{9}$ $\frac{4}{11}$

④ 분모와 분자의 합이 18인 진분수입니다.

$\frac{9}{9}$ $\frac{13}{5}$ ($\frac{7}{11}$) $\frac{9}{8}$

분자가 분모와 같거나 분모보다 큰 분수를 가분수라고 해.

❀ 다음 물음에 답하세요.

분모가 4인 분수 중 $\frac{7}{4}$보다 작은 가분수는 모두 몇 개일까요?

$\frac{4}{4}<\frac{5}{4}<\frac{6}{4}<\frac{7}{4}$

답: 3개

① 분모가 9인 분수 중 $\frac{4}{9}$보다 큰 진분수는 모두 몇 개일까요?

답: 4개

② 분모가 6인 분수 중 $\frac{4}{6}$보다 크고, $\frac{11}{6}$보다 작은 가분수는 모두 몇 개일까요?

답: 5개

③ 분모가 12인 분수 중 $\frac{5}{12}$보다 크고, $\frac{15}{12}$보다 작은 진분수는 모두 몇 개일까요?

답: 6개

48 C4-분수와 소수 | 4주: 여러 가지 분수 49

P 50 ~ 51

2일 가분수와 대분수

빈칸에 알맞은 수를 써넣으세요.

가분수 $\frac{7}{4}$을 대분수로 나타내면 $1\frac{3}{4}$ 입니다.

$7 \div 4 = 1 \cdots 3$

① 가분수 $\frac{8}{3}$을 대분수로 나타내면 $2\frac{2}{3}$ 입니다.

② 가분수 $\frac{16}{5}$을 대분수로 나타내면 $3\frac{1}{5}$ 입니다.

③ 대분수 $2\frac{5}{6}$를 가분수로 나타내면 $\frac{17}{6}$ 입니다.

④ 대분수 $4\frac{1}{2}$을 가분수로 나타내면 $\frac{9}{2}$ 입니다.

가분수의 (분자)÷(분모)의 몫은 자연수, 나머지는 분자가 돼.

다음 물음에 답하세요.

집에서 공원까지의 거리는 $\frac{12}{5}$ km입니다. 집에서 공원까지의 거리를 대분수로 나타내면 몇 km일까요?

$12 \div 5 = 2 \cdots 2$

답: $2\frac{2}{5}$ km

① 예진이는 사과를 $\frac{7}{2}$개 먹었습니다. 예진이가 먹은 사과의 수를 대분수로 나타내면 몇 개일까요?

답: $3\frac{1}{2}$개

② 미선이는 몸무게를 $\frac{11}{4}$ kg 줄였습니다. 미선이가 줄인 몸무게를 대분수로 나타내면 몇 kg일까요?

답: $2\frac{3}{4}$ kg

③ 영화 상영 시간은 $\frac{10}{6}$시간입니다. 영화 상영 시간을 대분수로 나타내면 몇 시간일까요?

답: $1\frac{4}{6}$시간

50 C4-분수와 소수 | 4주: 여러 가지 분수 51

P 52 ~ 53

3일 대분수의 크기 비교

두 분수의 크기를 비교하고 빈칸에 알맞은 분수를 써넣으세요.

$3\frac{3}{4}$ < $4\frac{1}{4}$　자연수 부분의 크기를 비교하면 3 < 4

$3\frac{3}{4}$과 $4\frac{1}{4}$ 중 더 큰 분수는 $4\frac{1}{4}$ 입니다.

① $2\frac{3}{6}$ > $1\frac{5}{6}$

$2\frac{3}{6}$과 $1\frac{5}{6}$ 중 더 작은 분수는 $1\frac{5}{6}$ 입니다.

② $5\frac{2}{3}$ > $5\frac{1}{3}$

$5\frac{2}{3}$와 $5\frac{1}{3}$ 중 더 작은 분수는 $5\frac{1}{3}$ 입니다.

③ $4\frac{3}{8}$ < $4\frac{5}{8}$

$4\frac{3}{8}$과 $4\frac{5}{8}$ 중 더 큰 분수는 $4\frac{5}{8}$ 입니다.

다음 물음에 답하세요.

상호가 주운 도토리는 $3\frac{1}{5}$ kg, 유림이가 주운 도토리는 $3\frac{3}{5}$ kg입니다. 두 사람 중 도토리를 더 많이 주운 사람은 누구일까요?

$3 = 3$　$\frac{1}{5} < \frac{3}{5}$

답 : 유림

① 산책을 동민이는 $1\frac{4}{6}$시간, 명중이는 $2\frac{3}{6}$시간 했습니다. 두 사람 중 산책을 더 길게 한 사람은 누구일까요?

답 : 명중

② 학교에서 학원까지의 거리는 $3\frac{2}{4}$ km, 학교에서 서점까지의 거리는 $3\frac{3}{4}$ km입니다. 학원과 서점 중 학교에서 더 가까운 곳은 어디일까요?

답 : 학원

③ 1년 동안 키가 사랑이는 $5\frac{5}{8}$ cm, 우정이는 $6\frac{3}{8}$ cm, 믿음이는 $5\frac{7}{8}$ cm 컸습니다. 세 사람 중 1년 동안 키가 가장 적게 자란 사람은 누구일까요?

답 : 사랑

P 54 ~ 55

4일 가분수와 대분수의 크기 비교

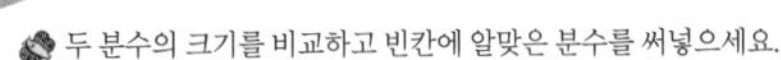

두 분수의 크기를 비교하고 빈칸에 알맞은 분수를 써넣으세요.

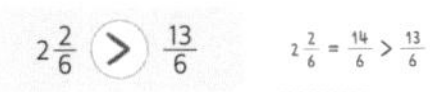

$2\frac{2}{6}$ > $\frac{13}{6}$　$2\frac{2}{6} = \frac{14}{6} > \frac{13}{6}$

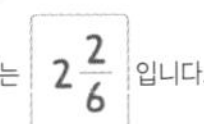

$2\frac{2}{6}$와 $\frac{13}{6}$ 중 더 큰 분수는 $2\frac{2}{6}$ 입니다.

① $2\frac{1}{3}$ > $\frac{5}{3}$

$2\frac{1}{3}$과 $\frac{5}{3}$ 중 더 작은 분수는 $\frac{5}{3}$ 입니다.

② $\frac{22}{5}$ < $4\frac{4}{5}$

$\frac{22}{5}$와 $4\frac{4}{5}$ 중 더 작은 분수는 $\frac{22}{5}$ 입니다.

③ $\frac{16}{7}$ < $2\frac{4}{7}$

$\frac{16}{7}$과 $2\frac{4}{7}$ 중 더 큰 분수는 $2\frac{4}{7}$ 입니다.

다음 물음에 답하세요.

낮잠을 우진이는 $2\frac{3}{4}$ 시간 잤고, 세림이는 $\frac{13}{4}$ 시간 잤습니다. 두 사람 중 낮잠을 더 짧게 잔 사람은 누구일까요?

$2\frac{3}{4} = \frac{11}{4} < \frac{13}{4}$

답 : 우진

① 귤을 민석이는 $\frac{11}{2}$ 개, 지훙이는 $4\frac{1}{2}$ 개 먹었습니다. 두 사람 중 귤을 더 많이 먹은 사람은 누구일까요?

답 : 민석

② 밤을 진만이는 $5\frac{4}{6}$ kg 땄고, 기철이는 $\frac{37}{6}$ kg 땄습니다. 두 사람 중 밤을 더 많이 딴 사람은 누구일까요?

답 : 기철

③ 25 m 트랙을 달리는 데 하윤이는 $6\frac{3}{5}$ 초, 중현이는 $\frac{36}{5}$ 초, 상은이는 $6\frac{1}{5}$ 초 걸렸습니다. 세 사람 중 25 m 트랙을 가장 빠르게 달린 사람은 누구일까요?

답 : 상은

P 56 ~ 57

5일 분수 만들기

큰 분수를 만들려면 분자는 크게, 분모는 작게 만들어야 해.

❀ 수 카드로 조건에 맞는 분수를 만들어 보세요.

주어진 수 카드 3장 중 2장을 한 번씩만 사용하여 만들 수 있는 가장 작은 진분수를 구하세요.

1 5 7 답 : $\frac{1}{7}$

① 주어진 수 카드 3장 중 2장을 한 번씩만 사용하여 만들 수 있는 가장 작은 진분수를 구하세요.

3 8 6 답 : $\frac{3}{8}$

② 주어진 수 카드 4장 중 2장을 한 번씩만 사용하여 만들 수 있는 가장 작은 진분수를 구하세요.

6 9 4 7 답 : $\frac{4}{9}$

③ 주어진 수 카드 4장 중 2장을 한 번씩만 사용하여 만들 수 있는 가장 작은 진분수를 구하세요.

9 3 8 2 답 : $\frac{2}{9}$

❀ 수 카드로 조건에 맞는 분수를 만들어 보세요.

주어진 수 카드 3장 중 2장을 한 번씩만 사용하여 만들 수 있는 가장 큰 가분수를 대분수로 나타내세요.

3 2 7 답 : $3\frac{1}{2}$

① 주어진 수 카드 3장 중 2장을 한 번씩만 사용하여 만들 수 있는 가장 큰 가분수를 대분수로 나타내세요.

3 8 7 답 : $2\frac{2}{3}$

② 주어진 수 카드 4장 중 2장을 한 번씩만 사용하여 만들 수 있는 가장 큰 가분수를 대분수로 나타내세요.

4 5 7 6 답 : $1\frac{3}{4}$

③ 주어진 수 카드 4장 중 2장을 한 번씩만 사용하여 만들 수 있는 가장 큰 가분수를 대분수로 나타내세요.

8 7 6 5 답 : $1\frac{3}{5}$

56 C4-분수와 소수 | 4주: 여러 가지 분수 57

P 58 ~ 59

확인학습

다음 물음에 답하세요.

① 분모가 7인 분수 중 $\frac{3}{7}$보다 큰 진분수는 모두 몇 개일까요?

답 : 3개

② 분모가 11인 분수 중 $\frac{4}{11}$보다 크고, $\frac{15}{11}$보다 작은 가분수는 모두 몇 개일까요?

답 : 4개

다음 물음에 답하세요.

③ 두리네 가족은 피자를 $\frac{15}{8}$판 먹었습니다. 두리네 가족이 먹은 피자의 양을 대분수로 나타내면 몇 판일까요?

답 : $1\frac{7}{8}$판

④ 정우는 색 테이프를 $\frac{38}{5}$ cm 사용했습니다. 정우가 사용한 색 테이프의 길이를 대분수로 나타내면 몇 cm일까요?

답 : $7\frac{3}{5}$ cm

다음 물음에 답하세요.

⑤ 철사를 현지는 $7\frac{2}{5}$ cm 사용했고, 예은이는 $6\frac{4}{5}$ cm 사용했습니다. 두 사람 중 철사를 더 적게 사용한 사람은 누구일까요?

답 : 예은

⑥ 수조에 물을 연우는 $2\frac{2}{4}$ L, 공유는 $2\frac{3}{4}$ L, 도준이는 $3\frac{1}{4}$ L 받았습니다. 세 사람 중 수조에 물을 가장 많이 받은 사람은 누구일까요?

답 : 도준

다음 물음에 답하세요.

⑦ 와플을 주완이는 $2\frac{5}{6}$개 먹었고, 소윤이는 $\frac{15}{6}$개 먹었습니다. 두 사람 중 와플을 더 많이 먹은 사람은 누구일까요?

답 : 주완

⑧ 일 년 동안 몸무게가 누리는 $3\frac{2}{7}$ kg, 두희는 $\frac{25}{7}$ kg, 루이는 $3\frac{5}{7}$ kg 늘었습니다. 세 사람 중 몸무게가 가장 적게 늘어난 사람은 누구일까요?

답 : 누리

58 C4-분수와 소수 | 4주: 여러 가지 분수 59

P 60

확인학습

수 카드로 조건에 맞는 분수를 만들어 보세요.

⑨ 주어진 수 카드 3장 중 2장을 한 번씩만 사용하여 만들 수 있는 가장 큰 가분수를 대분수로 나타내세요.

3 5 7

답 : $2\frac{1}{3}$

⑩ 주어진 수 카드 3장 중 2장을 한 번씩만 사용하여 만들 수 있는 가장 큰 가분수를 대분수로 나타내세요.

5 4 2

답 : $2\frac{1}{2}$

⑪ 주어진 수 카드 4장 중 2장을 한 번씩만 사용하여 만들 수 있는 가장 큰 가분수를 대분수로 나타내세요.

4 8 5 9

답 : $2\frac{1}{4}$

⑫ 주어진 수 카드 4장 중 2장을 한 번씩만 사용하여 만들 수 있는 가장 큰 가분수를 대분수로 나타내세요.

8 7 9 6

답 : $1\frac{3}{6}$

60 C4-분수와 소수

진단평가

P62 ~ 63

1회차 진단평가

월 일 / 제한 시간 10분 / 맞은 개수 /8개

✎ 빈칸에 알맞은 수를 써넣으세요.

① 전체를 똑같이 2로 나눈 것 중의 1은 $\frac{1}{2}$ 입니다.

② 전체를 똑같이 9로 나눈 것 중의 5는 $\frac{5}{9}$ 입니다.

✎ 다음 물음에 답하세요.

③ 재민이의 칫솔 길이는 13.2 cm이고, 현민이의 칫솔 길이는 140 mm입니다. 둘 중 칫솔 길이가 더 짧은 사람은 누구일까요?

재민

④ 강아지는 몸무게가 3.8 kg 늘었고, 고양이는 2.1 kg 늘었고, 돼지는 3.4 kg 늘었습니다. 셋 중 몸무게가 가장 많이 늘어난 것은 무엇일까요?

강아지

✎ 다음 물음에 답하세요.

⑤ 빵집에서 밀가루 56 kg 중 $\frac{4}{7}$를 빵을 만드는 데 사용했습니다. 빵집에서 빵을 만드는 데 사용한 밀가루는 몇 kg일까요?

답 : 32 kg

⑥ 현웅이는 하루에 깨어 있는 18시간 중 $\frac{2}{9}$를 공부하는 데 쓰려고 합니다. 현웅이는 하루에 공부를 몇 시간 해야 할까요?

답 : 4시간

✎ 다음 물음에 답하세요.

⑦ 기선이와 친구들은 야채 김밥을 $4\frac{2}{9}$줄 먹었고, 참치 김밥을 $5\frac{5}{9}$줄 먹었습니다. 두 김밥 중 기선이와 친구들이 더 많이 먹은 김밥은 무엇일까요?

답 : 참치 김밥

⑧ 민우가 달린 거리는 $3\frac{4}{7}$ km, 준호가 달린 거리는 $2\frac{5}{7}$ km, 경아가 달린 거리는 $3\frac{6}{7}$ km입니다. 세 사람 중 가장 긴 거리를 달린 사람은 누구일까요?

답 : 경아

62 C4-분수와 소수 / 진단평가 63

P 64 ~ 65

2회차 진단평가

월 일 / 제한 시간 10분 / 맞은 개수 /8개

✎ 다음 물음에 답하세요.

① 케이크를 똑같이 4조각으로 나누어 2조각을 먹었습니다. 먹은 부분은 전체의 몇 분의 몇일까요?

답 : $\frac{2}{4}$

② 케이크를 똑같이 8조각으로 나누어 6조각을 먹었습니다. 먹고 남은 부분은 전체의 몇 분의 몇일까요?

답 : $\frac{2}{8}$

✎ 밑줄 친 곳에 알맞은 수나 말을 써넣으세요.

③ $\frac{3}{4}$은 $\frac{1}{4}$이 3 개, $\frac{2}{4}$는 $\frac{1}{4}$이 2 개이므로 $\frac{3}{4}$은 $\frac{2}{4}$보다 더 큽니다.

④ $\frac{7}{9}$은 $\frac{1}{9}$이 7 개, $\frac{5}{9}$는 $\frac{1}{9}$이 5 개이므로 $\frac{7}{9}$은 $\frac{5}{9}$보다 더 큽니다.

✎ 다음 물음에 답하세요.

⑤ 식당에서 감자 40 kg 중 어제 $\frac{2}{5}$를 썼고, 오늘 $\frac{3}{8}$을 썼습니다.이틀 동안 식당에서 쓴 감자는 몇 kg일까요?

답 : 31 kg

⑥ 수 카드 60장 중 $\frac{2}{5}$는 홀수 카드이고, 나머지는 짝수 카드입니다. 홀수 카드와 짝수 카드 중 어느 것이 몇 장 더 많을까요?

답 : 짝수 카드, 12장

✎ 다음 물음에 답하세요.

⑦ 10분 동안 빨간색 양초는 $\frac{22}{5}$ cm 줄었고, 파란색 양초는 $4\frac{4}{5}$ cm 줄었습니다. 두 양초 중 더 많이 줄어든 양초는 무슨 색깔일까요?

답 : 파란색

⑧ 피자 파티에서 고구마 피자를 $\frac{18}{8}$판, 한우 피자를 $3\frac{1}{8}$판, 토마토 피자를 $\frac{21}{8}$판 먹었습니다. 피자 파티에서 가장 적게 먹은 피자는 무슨 피자일까요?

답 : 고구마

64 C4-분수와 소수 / 진단평가 65

P 66 ~ 67

3회차 진단평가

월 일
제한 시간 10분
맞은 개수 / 9개

알맞은 식을 쓰고 답을 구하세요.

① 세람이는 피자를 똑같이 8조각으로 나누어 $\frac{1}{2}$만큼 먹었습니다. 세람이는 피자를 몇 조각 먹었을까요?

답 : 4조각

② 오현이는 케이크를 똑같이 6조각으로 나누어 $\frac{1}{3}$만큼 먹었습니다. 오현이는 케이크를 몇 조각 먹었을까요?

답 : 2조각

다음 물음에 답하세요.

③ 분모가 10인 진분수 중 두 번째로 작은 분수는 몇 분의 몇일까요?

답 : $\frac{2}{10}$

④ 분모가 5인 진분수 중 두 번째로 큰 분수는 몇 분의 몇일까요?

답 : $\frac{3}{5}$

알맞은 식을 쓰고 답을 구하세요.

⑤ 18을 2씩 묶으면 8은 18의 $\frac{4}{9}$ 입니다.

⑥ 18을 3씩 묶으면 6은 18의 $\frac{2}{6}$ 입니다.

⑦ 18을 6씩 묶으면 12는 18의 $\frac{2}{3}$ 입니다.

수 카드로 조건에 맞는 분수를 만들어 보세요.

⑧ 주어진 수 카드 3장 중 2장을 한 번씩만 사용하여 만들 수 있는 가장 작은 진분수를 구하세요.

6 5 9

답 : $\frac{5}{9}$

⑨ 주어진 수 카드 4장 중 2장을 한 번씩만 사용하여 만들 수 있는 가장 작은 진분수를 구하세요.

5 2 4 7

답 : $\frac{2}{7}$

66 C4-분수와 소수　　진단평가 67

P 68 ~ 69

4회차 진단평가

월 일
제한 시간 10분
맞은 개수 / 8개

다음 물음에 답하세요.

① 희제는 끈 1 m를 똑같이 10조각으로 나누어 그중 6조각을 사용했습니다. 희제가 사용한 끈의 길이는 몇 m일까요?

답 : 0.6 m

② 종화는 소금 1 kg을 똑같이 10컵에 나누어 담아 그중 5컵을 통에 넣었습니다. 종화가 통에 넣은 소금의 무게는 몇 kg일까요?

답 : 0.5 kg

다음 물음에 답하세요.

③ 단위분수 중 $\frac{1}{12}$보다 크고, $\frac{1}{9}$보다 작은 분수는 모두 몇 개일까요?

답 : 2개

④ 단위분수 중 $\frac{1}{9}$보다 크고, $\frac{1}{2}$보다 작은 분수는 모두 몇 개일까요?

답 : 6개

다음 물음에 답하세요.

⑤ 저금통에 들어 있는 동전 20개 중 10개는 백원짜리 동전입니다. 동전을 2개씩 묶으면 백원짜리 동전은 전체의 몇 분의 몇일까요?

답 : $\frac{5}{10}$

⑥ 도토리 42개 중 레이가 딴 것은 18개입니다. 도토리를 6개씩 묶으면 레이가 딴 도토리는 전체의 몇 분의 몇일까요?

답 : $\frac{3}{7}$

다음 물음에 답하세요.

⑦ 분모가 8인 분수 중 $\frac{13}{8}$보다 작은 가분수는 모두 몇 개일까요?

답 : 5개

⑧ 분모가 15인 분수 중 $\frac{10}{15}$보다 크고, $\frac{19}{15}$보다 작은 진분수는 모두 몇 개일까요?

답 : 4개

68 C4-분수와 소수　　진단평가 69

진단평가

P 70 ~ 71

월 일
제한 시간 10분
맞은 개수 / 8개

✎ 다음 물음에 답하세요.

① 윤기는 선물용 끈 58 mm를 사용했습니다. 윤기가 사용한 선물용 끈은 몇 cm일까요?

답 : 5.8 cm

② 불을 켜 놓은 양초의 길이가 10분 동안 91 mm 줄었습니다. 10분 동안 줄어든 양초의 길이는 몇 cm일까요?

답 : 9.1 cm

✎ 다음 물음에 답하세요.

③ 상현이는 숙제를 하는 데 $\frac{1}{12}$시간이 걸렸고, 상아는 $\frac{1}{10}$시간이 걸렸고, 미희는 $\frac{1}{6}$시간이 걸렸습니다. 숙제를 하는 데 가장 오래 걸린 사람은 누구일까요?

답 : 미희

④ 피자 한 판을 시켜서 동우는 $\frac{5}{8}$판을 먹었고, 엄마는 $\frac{2}{8}$판을 먹었고, 나머지는 아빠가 먹었습니다. 피자를 가장 적게 먹은 사람은 누구일까요?

답 : 아빠

✎ 다음 물음에 답하세요.

⑤ 농장에 있는 동물 36마리 중 $\frac{2}{9}$는 돼지입니다. 농장에 있는 돼지는 몇 마리일까요?

답 : 8마리

⑥ 나은이는 모으기로 한 우표 27장 중 $\frac{2}{3}$를 모았습니다. 나은이가 모은 우표는 몇 장일까요?

답 : 18장

✎ 다음 물음에 답하세요.

⑦ 태웅이는 쿠키를 친구들과 $\frac{23}{6}$개씩 나누어 먹었습니다. 태웅이가 먹은 쿠키의 수를 대분수로 나타내면 몇 개일까요?

답 : $3\frac{5}{6}$개

⑧ 우종이는 물을 $\frac{7}{4}$ L 마셨습니다. 우종이가 마신 물의 양을 대분수로 나타내면 몇 L일까요?

답 : $1\frac{3}{4}$ L

“

The essence of mathematics is its freedom.

”

"수학의 본질은 그 자유로움에 있다."

Georg Cantor, 게오르크 칸토어